El camino

Contemporánea
Narrativa

MIGUEL DELIBES

EL CAMINO

Edición de Marisa Sotelo

AUSTRAL

© Miguel Delibes, 1950
© Editorial Planeta, S. A., 2015
   Ediciones Destino, un sello editorial de Editorial Planeta, S. A.
   Avinguda Diagonal, 662, 7.ª planta. 08034 Barcelona (España)
   www.edestino.es
   www.planetadelibros.com

Diseño de la colección: Compañía
Ilustración de la cubierta: © Dana Bartekoske / Shutterstock
Primera edición en Austral: marzo de 2010
Segunda impresión: abril de 2010
Tercera impresión: mayo de 2010
Cuarta impresión: octubre de 2010
Quinta impresión: noviembre de 2010
Sexta impresión: marzo de 2011
Séptima impresión: mayo de 2011
Octava impresión: agosto de 2011
Novena impresión: marzo de 2012
Décima impresión: junio de 2012
Undécima impresión: mayo de 2013
Duodécima impresión: agosto de 2013
Decimotercera impresión: febrero de 2014
Decimocuarta impresión: agosto de 2014
Decimoquinta impresión: marzo de 2015

Depósito legal: B. 30.637-2011
ISBN: 978-84-233-4230-3
Impresión y encuadernación: CPI (Barcelona)
Printed in Spain - Impreso en España

Biografía

Miguel Delibes (Valladolid, 1920-2010) se dio a conocer como novelista con *La sombra del ciprés es alargada*, Premio Nadal 1947. Entre su vasta obra narrativa destacan *Mi idolatrado hijo Sisí*, *El camino*, *Las ratas*, *Cinco horas con Mario*, *Las guerras de nuestros antepasados*, *El disputado voto del señor Cayo*, *Los santos inocentes*, *Señora de rojo sobre fondo gris* o *El hereje*. Fue galardonado con el Premio Nacional de Literatura (1955), el Premio de la Crítica (1962), el Premio Nacional de las Letras (1991) y el Premio Cervantes de Literatura (1993). Desde 1973 era miembro de la Real Academia Española. Ediciones Destino ha publicado sus *Obras completas*.

ÍNDICE

INTRODUCCIÓN

Semblanza de Miguel Delibes

> Mis personajes son, en buena parte, mi biografía.
>
> Pasé la vida disfrazándome de otros, imaginando, ingenuamente, que este juego de máscaras ampliaba mi existencia, facilitaba nuevos horizontes, hacía aquélla más rica y variada. Disfrazarse era el juego mágico del hombre, que se entregaba fruitivamente a la creación sin advertir cuánto de su propia sustancia se le iba en cada desdoblamiento. La vida, en realidad, no se ampliaba con los disfraces, antes al contrario, dejaba de vivirse, se convertía en una entelequia cuya única realidad era el cambio sucesivo de personajes.[1]

En estos términos, absolutamente unamunianos, se expresaba Miguel Delibes en el discurso de recepción del Premio Miguel de Cervantes (25 de abril de 1994), seña-

---

[1] Miguel Delibes, «Discurso de recepción del Premio Miguel de Cervantes». Universidad de Alcalá de Henares, 25-IV-1994, en *ABC*, Madrid (26-IV-1994); p. 65.

9

lando cómo su propia vida había sido, en buena medida, la vida de sus personajes de ficción.

El novelista, rebasados los setenta años, con la lucidez y sinceridad que caracteriza su trayectoria vital y artística, afirmaba, con claridad y nostalgia, haber vivido ensimismado en la creación de otras vidas, imaginando que el juego mágico de la creación le permitía ampliar su existencia, trascenderse a sí mismo. Si la interdependencia entre vida y obra es cierta en cualquier escritor, pues toda escritura es en buena parte autobiográfica, en el caso de Delibes lo es de manera manifiesta.

Miguel Delibes nace el 17 de octubre de 1920 en Valladolid, en el seno de una familia de clase media. Su padre, descendiente del compositor francés Leo Delibes,[2] era catedrático de la Escuela de Comercio, de la que con el tiempo lo sería también el autor. Emparentado con Albas y Siliós,[3] crece desde niño en un ambiente liberal y cristiano.

Cursa los estudios de bachillerato en el Colegio de Lourdes de los Hermanos de la Salle. Precisamente a uno de sus profesores le debemos la primera aproximación al carácter del autor: «Tiene la mirada lánguida y un poco tristona y es, sin embargo, Miguel, el más alegre y juguetón del grupo».[4]

---

[2]   El primer Delibes que se instaló en España fue Federico Delibes, abuelo del novelista, que intervino en la realización del túnel de Molledo Portolín, en el tramo ferroviario de Reinosa-Torrelavega, escenario natural de *El camino*.

[3]   Santiago Alba, perteneciente a la tercera generación de editores de *El Norte de Castilla*, periódico fundado en 1854, de tradición liberal, agraria y castellanista, en el que ingresaría el novelista en 1940, como dibujante caricaturista, con el seudónimo de Max. Vid. José Francisco Sánchez, *Miguel Delibes, periodista*. Barcelona, 1989. Destinolibro, 290.

[4]   César Alonso de los Ríos, *Conversaciones con Miguel Delibes*, Madrid, Magisterio Español, 1971. Cito por la reedición ampliada en Destino, Barcelona, 1993; p. 40.

Esa mirada lánguida y tristona ocultaba —tal como ha confesado Delibes— la angustia, el miedo frente a la muerte, que se concretaba en una obsesión por la muerte de su padre: «Mi padre fue un hombre que se casó tarde. Cuando comencé a discernir sobre la vida y la muerte, él contaba ya cerca de sesenta años, la edad prácticamente de la muerte. Detrás de mí había cinco hermanos. Yo era el tercero de ocho. Sin embargo, no me planteaba el problema económico, aunque mi padre era el único sostén de mi familia, sino el amargo problema del desasimiento: el dejar o ser dejado.»[5]

El amargo problema del desasimiento será el tema de *La sombra del ciprés es alargada*, primera novela, con la que Delibes obtuvo el Premio Nadal[6] en enero de 1948. Tiene, entonces, el autor veintisiete años, ha terminado la carrera de Derecho y Comercio y, tras ganar las oposiciones a la Cátedra de Derecho Mercantil, se casa con su novia de siempre, Ángeles de Castro, y el primero de los siete hijos del matrimonio cuenta aproximadamente un año. No parece, por tanto, que su situación personal justifique el pesimismo radical y la adhesión a la «filosofía del desasimiento», que guía la vida de Pedro, el solitario protagonista de la novela, cuyo lema de conducta se cifra en el schopenhaueriano «no arriesgar para no perder».

Sin embargo, el miedo a la muerte, por lo que ésta implica de «dejar o ser dejado», debía de haber calado muy hondo en la psicología del joven Delibes, pues, más allá de esta novela, la muerte junto con la infancia, el mie-

---

[5]   Ibídem, p. 42.
[6]   Era la cuarta edición de dicho Premio y quedaron finalistas Pombo Angulo con *Hospital general* y Ana M.ª Matute con *Los Abel.*

do, el hombre acosado serán temas recurrentes en su producción narrativa.

Tras la *La sombra del ciprés es alargada*, cuya primera parte es realmente extraordinaria, la que corresponde a la formación del carácter del adolescente Pedro en casa de su preceptor, en la sombría y mística ciudad de Ávila, Delibes publica *Aún es de día* (1949), novela «precipitada y tosca» —en palabras del autor—. Se trata, desde mi punto de vista, de una novela puente entre dos formas distintas de narrar y, aunque pueda considerarse inferior a la primera, anuncia algunas técnicas narrativas, como el estilo indirecto libre, fundamentales en las novelas posteriores. Sin embargo, a *Aún es de día*, le perjudica el exceso de retórica y cierta tendencia a la acumulación descriptiva propia del realismo-naturalismo decimonónico, incluso en el personaje de Sebastián hay evidentes resabios galdosianos.

A partir de estos dos tanteos, la andadura narrativa de Delibes seguirá un curso de calidad creciente, mantenido con regularidad y constante fidelidad a unos principios ético-estéticos inquebrantables. Se trata de un proceso de crecimiento progresivo que, sin renunciar a sus señas de identidad ético-estéticas —«un hombre, un paisaje y una pasión»—, permanece abierto a las diferentes corrientes y tendencias estéticas vigentes en la novela española desde la década de los cuarenta hasta prácticamente la actualidad.

En este proceso de crecimiento hay novelas que suponen una inflexión estética cualitativa, tal es el caso de *El camino* (1950), reconocida unánimemente por la crítica como una de las obras maestras del autor. Sobejano ha sintetizado certeramente algunas de las características que distinguen esta novela de las anteriores, a las que a efectos estéticos añade *Mi idolatrado hijo Sisí* (1953). En éstas

12

—escribe— «se advierte la presencia del autor, que, como tal autor, narra y describe, mientras que en ésta (*El camino*), el autor da la impresión de haberse infundido del todo dentro de unas figuras que aparecen directamente, presentándose ellas mismas en su vivir. Y puesto que la síntesis, la compenetración, es lo propio de la poesía, no extraña que se haya aplicado a la segunda época de Delibes la designación "realismo poético" frente al realismo analítico de la primera época».[7]

La importancia que la crítica concede a *El camino* en la trayectoria narrativa de Delibes se evidenció ya en el momento de su publicación. Antonio Vilanova, desde su columna habitual de crítica literaria «La letra y el espíritu», en la barcelonesa revista *Destino*, relacionaba el realismo poético de *El camino* con el *Poney colorado* de Steinbeck y, en tono elogioso, añadía: «Es preciso advertir que no es sólo la poetización de lo vulgar ni la captación de los incidentes mínimos de la vida provinciana lo que otorga valor a este libro magistral. Su portentoso acierto estriba en haber logrado el don supremo de la objetividad que caracteriza al novelista nato, en haber reducido su intervención activa al mero papel de transcriptor y en haber pintado la vida de la aldea no sólo desde el punto de vista infantil de Daniel, el Mochuelo, sino de acuerdo con la propia conciencia de todo el pueblo.»[8]

También en *Destino*, Carmen Laforet, por su parte, comparaba la novela al neorrealismo italiano y pocos días después terminaba su crónica en el diario *Informaciones* con estas elogiosas palabras: «Por esta novela, por su sen-

---

[7]   Gonzalo Sobejano, «Miguel Delibes: la busca de la autenticidad», *Novela española de nuestro tiempo*. Madrid, Prensa Española, Col. «El Soto, 10», 1970; p. 131.

[8]   «*El camino* de Miguel Delibes», *Destino* (10-II-1951); p. 15.

cilla belleza, yo le estoy agradecida y el haber leído muchas, muchísimas traducciones, no me sirve sino para preferir el libro entre muchos, y el ser autor, para desearle al libro la suerte de caer en manos acostumbradas a manejar libros, para que puedan apreciar su fuerza y su belleza.»[9]

Aunque resulte una redundancia lo cierto es que con *El camino* Delibes encuentra su verdadero camino como novelista. Apuesta por la sencillez, la naturalidad del estilo, tamizado de cordial ironía y la búsqueda de la autenticidad se convierte en su preocupación fundamental.[10]

La trayectoria de Delibes se ha desarrollado fundamentalmente en dos ámbitos complementarios entre sí, el del periodismo, como redactor de *El Norte de Castilla*, desde 1943, y la creación. Del ejercicio diario del periodismo aprende Delibes a valorar el aspecto humano de los acontecimientos y la capacidad de síntesis, ambos elementos fundamentales en la creación literaria. En 1952 es nombrado subdirector de *El Norte de Castilla*, a la vez que prepara su cuarta novela, *Mi idolatrado hijo Sisí* (1953), nuevo análisis de la condición humana en torno a la figura de Cecilio Rubes, burgués satisfecho y egoísta. Técnicamente la novela plantea, sin embargo, varias innovaciones con respecto a las dos primeras en cuyo grupo la crítica la incluye habitualmente. El insertar recortes de prensa para situar y ambientar la acción en un momento histórico concreto, 1917-1938, recuerda el estilo de John Dos Passos en *Manhattan Transfer*.

---

[9] Carmen Laforet, «Leyendo *El camino*», *Destino* (27-I-1951); p. 9 y «La libertad de leer», *Informaciones* (30-I-1951).

[10] Gonzalo Sobejano en el estudio mencionado en nota 7, p. 135, señala que todas las novelas de Delibes «podrían titularse *El camino*».

En 1955, publica *Diario de un cazador*, Premio Nacional de Literatura, y la continuación, *Diario de un emigrante*, en 1958, fecha en que Delibes es nombrado director de *El Norte de Castilla*.[11] Ambas novelas, narradas en primera persona, constituyen la primera y segunda parte de un mismo proyecto narrativo. El protagonista de ambas es Lorenzo, joven bedel de un instituto de provincias, con la misma pasión por la caza y la vida al aire libre que su autor. La acción de la primera discurre en una ciudad de provincias castellana y reproduce con fidelidad el lenguaje popular, castizo e incluso barriobajero, mientras que en la segunda, el personaje viaja a Chile para «hacer plata», pero siente la nostalgia de su tierra y se ve obligado a regresar sin haber conseguido su objetivo. Esta segunda parte es trasunto literario de las impresiones de viaje del novelista por Brasil, Argentina y Chile en 1955, recogidas en libro con el título de *Un novelista descubre América* (1956).

Tras los diarios del bedel cazador y emigrante, ve la luz *La hoja roja* (1959), en torno al sentimiento de soledad radical de un viejo funcionario jubilado ante la proximidad de la muerte. El título es una metáfora, en la que la jubilación es interpretada como compás de espera ante la muerte, como un aviso de que la vida se acaba, al igual que al fumador la hoja roja del librillo de papel de fumar le anuncia que sólo le quedan cinco.

En 1962 Miguel Delibes consigue el Premio de la Crítica con una novela espléndida, especie de cuadro sola-

---

[11]   En 1942 Delibes empieza a publicar sus primeros artículos sobre caza. En 1946 aparecen sus primeros artículos largos de carácter literario en la sección titulada «Meditaciones de un solitario». A partir de 1944 ejerce también la crítica de cine. José Francisco Sánchez, *Miguel Delibes, periodista*. Barcelona, 1989. Destinolibro, 290.

nesco de la vida de Castilla, *Las ratas*. El protagonista es
también un niño, el Nini, cuya sabiduría natural e instinto de la naturaleza tienen una dimensión simbólica. *Las
ratas* presenta indudables analogías con el mundo de *El
camino*, aunque el medio rural es ahora motivo de denuncia de unas condiciones de vida primitivas, míseras y
brutales.

Con la publicación de *Las ratas* el camino emprendido
por Delibes pasa de la preocupación por temas y personajes individuales a una preocupación más amplia, de índo-
le social, tal como advirtiera Sobejano: «Miguel Delibes
ha ido pasando de una problemática existencial relativa-
mente abstracta hacia una problemática social muy actual
y concreta que le coloca hoy en el mismo frente en que
han operado o siguen operando novelistas algo más jóvenes, como Fernández Santos, Sánchez Ferlosio, Martín
Santos y otros.»[12]

Esta actitud está estrechamente ligada a su tarea periodística claramente de denuncia del abandono de Castilla en la
década de los sesenta. Paradójicamente los sesenta son años
de cierta liberación del control y censura en prensa; sin embargo, no fueron favorables para la redacción de *El Norte de
Castilla*. El 8 de junio de 1963, tras varios enfrentamientos
con Fraga Iribarne,[13] entonces, ministro de Información y
Turismo, por una serie de campañas en defensa del campo castellano, Delibes presenta la dimisión como director

---

[12]   *Novela española de nuestro tiempo.* Madrid, Prensa Española,
1970, p. 132.

[13]   A propósito de la Ley de Prensa que Fraga prometió para las
Navidades de 1962, pero que finalmente no se promulgó hasta marzo
de 1966, ha dicho Delibes aludiendo a la frustración que en la práctica produjo: «La ambigüedad no es mi elemento. Yo prefiero el control absoluto y conocido del público que las medias tintas.» *Conversaciones con Miguel Delibes.* Barcelona, Destino, 1993; p. 62.

de *El Norte*, aunque siguió vinculado a él desde el Consejo de Redacción y a través de la fundación de una emblemática Sala de Cultura, inaugurada por Julián Marías y por la que pasaron los nombres más prestigiosos de la vida cultural española.

La publicación en 1966 de *Cinco horas con Mario* «fue un aldabonazo en la conciencia literaria del momento» —en palabras de García Posada—.[14] El conflicto de mentalidades expuesto a través de la voz de Carmen, en cinco horas de soliloquio frente al cadáver de su marido difunto, da pie, en primer término, a un certero análisis de las carencias afectivas, de la falta de comunicación entre la pareja y, a la vez, reconstruye de forma magistral las limitaciones y ramplonería de la clase media española de posguerra. La atención constante de los críticos[15] desde su publicación hasta hoy testimonian el valor indiscutible del texto y su significación en el panorama de la narrativa de posguerra.

Tras la acentuación crítica y renovación técnica que supuso la utilización del monólogo interior en *Cinco horas con Mario*, Delibes publica tres años después *Parábola del náu-*

---

[14] Miguel García Posada, «*Cinco horas con Mario:* una revisión», en *Miguel Delibes. El escritor la obra y el lector.* Barcelona, Anthropos, 1992, p. 115.

[15] Algunos de los mejores trabajos sobre la novela son: Gonzalo Sobejano, «Estudio introductorio» a *Cinco horas con Mario* (versión teatral). Madrid, Espasa-Calpe, 1981; pp. 1-132. Isaac Montero, «*Cinco horas con Mario:* El lenguaje del limbo». *Revista de Occidente,* 61, abril-1968; pp. 101-117. Miguel García Posada, «*Cinco horas con Mario:* una revisión» y Antonio Vilanova, «*Cinco horas con Mario* o el arte de entender las razones del otro», ambos en *Miguel Delibes. El escritor, la obra y el lector.* Barcelona, Anthropos, 1992; pp. 115-131 y 131-171, respectivamente. Carmen Martín Gaite, «Sexo y dinero en *Cinco horas con Mario*» en *Miguel Delibes. Premio Letras Españolas 1991.* Madrid, Dirección General del Libro y Bibliotecas, Ministerio de Cultura, 1993; pp. 131-157.

frago, dedicada «a todos los oprimidos, a los del Este y a los del Oeste». Parábola de la degradación progresiva hasta la aniquilación del individuo bajo la presión de un sistema totalitario, encarnado en la figura andrógina de don Abdón. El protagonista, Jacinto San José, pobre hombre acosado, condenado a ser un mero engranaje de la cadena de producción, se despersonaliza, se animaliza convirtiéndose en un cordero que termina cercado simbólicamente por el seto que él mismo había plantado. Relato alegórico de una pesadilla, transcrito con un lenguaje desarticulado, que desempeña una función relevante en la interpretación de la novela, contribuyendo a desdibujar los límites reales y ambientales en favor de la universalidad del tema. Dicho experimentalismo narrativo estaba en consonancia con otras novelas españolas de la misma época, como *San Camilo 1936*, de Cela.

Asimismo, conviene precisar que la gestación de dicha novela aparece estrechamente vinculada al viaje de Delibes por Checoslovaquia, poco antes de que se truncaran los aires de incipiente libertad con la invasión rusa en la primavera de 1968. La serie de estas crónicas viajeras fue publicada inicialmente en la revista *Triunfo* y recogida en libro con el título de *La primavera de Praga* (1968).

En 1973 Miguel Delibes publica *El príncipe destronado*, escrita en 1964. La tesis de la novela es mostrar la pequeña tragedia, los celos, de un niño de tres años desplazado por el nacimiento de un hermano e incomprendido por el mundo de los adultos, en el que desempeña un papel fundamental la figura autoritaria de su padre. El trazado psicológico de dicho personaje presenta evidentes analogías con Carmen de *Cinco horas con Mario*.

El mismo año de 1973, el autor vallisoletano es elegido miembro de la Real Academia Española. En el discurso de ingreso titulado «El sentido del progreso desde mi obra» (25 de mayo de 1975), Delibes aborda las claves ideológicas del sentido del progreso tecnológico en sus novelas y matiza las injustificadas acusaciones de un sector de la crítica, que venía achacándole, desde la publicación de *El camino*, actitudes reaccionarias. En este sentido, el autor manifiesta sin ambages que desde que empezó a escribir «me ha movido una obsesión antiprogreso no porque la máquina me parezca mala en sí, sino por el lugar en que la hemos colocado con respecto al hombre» para añadir que «el hombre, nos guste o no, tiene sus raíces en la naturaleza y al desarraigarlo con el señuelo de la técnica, lo hemos despojado de su esencia».[16]

Medio año antes de leer dicho discurso fallece su mujer, la que Delibes definiera en la dedicatoria de *Diario de un emigrante* como «su equilibrio». El hecho crucial de la muerte se hace realidad trágica en la vida de Delibes. El amargo problema del desasimiento, el dejar o ser dejado, que ilustrara su primera novela, es ahora sentimiento vivido con profundo desgarro en propia carne. Por ello, desde la coherencia profunda entre vida y literatura, Delibes pronuncia unas emotivas palabras en recuerdo de Ángeles, «cuya sola presencia aligeraba la pesadumbre de vivir»:[17]

> Desde la fecha de mi elección a la de ingreso en esta Academia me ha ocurrido algo importante, seguramente lo más importante que podría haberme ocurrido en mi vida: la muerte de Ángeles, mi mujer, a la que un día, hace ya casi veinte años califiqué de «mi equilibrio». He necesitado perderla para advertir que ella significaba para mí mucho más que eso: ella fue también, con nuestros hijos,

---

[16] Miguel Delibes, *El sentido del progreso desde mi obra, S.O.S.,* Barcelona, Destino, 1975, p. 76.

[17] Como escribiría años después en *Señora de rojo sobre fondo gris.* Barcelona, Destino, 1993; p. 13.

el eje de mi vida y el estímulo de mi obra, sobre todas las demás cosas, el punto de referencia de mis pensamientos y actividades. Soy pues, consciente de que con su desaparición ha muerto la mejor mitad de mí mismo. Objetaréis, tal vez, que al faltarme el punto de referencia mi presencia aquí esta tarde no pasa de ser un acto gratuito, carente de sentido, y así sería si yo no estuviera convencido de que al leer este discurso me estoy plegando a uno de sus más fervientes deseos y, en consecuencia, que ella ahora, en algún lugar y de alguna manera, aplaude esta decisión mía.[18]

Tres años tardó Delibes en volver a la escritura de novelas. Desde diciembre de 1975, en que publica *Las guerras de nuestros antepasados*, probablemente redactada en los meses previos al fallecimiento de Ángeles, hasta 1978 con *El diputado voto del señor Cayo*. Etapa de angustia, agostamiento e imposibilidad de concentrarse en nada, que recrearía magistralmente en *Señora de rojo sobre fondo gris* (1991).

En *Las guerras de nuestros antepasados*,[19] asistimos, desde la cárcel, a la confesión descarnada de un pobre infeliz, que responde al simbólico nombre de Pacífico Pérez, hipersensible por naturaleza, víctima inocente de la violencia atávica de sus familiares y del primitivismo ancestral del medio rural en el que vive.

El diputado voto del señor Cayo supone el enfrentamiento entre dos mundos, dos culturas, la rural, basada en la tradición oral, representada por el señor Cayo, con

---

[18]   Miguel Delibes, *El sentido del progreso desde mi obra, S.O.S.,* Barcelona, Destino, 1975; pp. 15-16.

[19]   *Vid.* Esther Bartolomé Pons, *Miguel Delibes y su guerra constante.* Barcelona, Ámbito Literario, 1979, y Carolyn Richmond, *Un análisis de la novela «Las guerras de nuestros antepasados» de Miguel Delibes.* Barcelona, Destinolibro, 166, 1982.

su vocabulario rico y preciso y la urbana, por los jóvenes que llegan al pueblo en plena campaña electoral para pedirle el voto. El enfrentamiento se salda con la decepción entre ambos mundos que «recíprocamente se ignoran». Ambas novelas ambientadas en el mundo rural suponen una vuelta a las preocupaciones fundamentales de Delibes, el hombre acosado por la violencia en la primera y la defensa de la agonizante cultura rural en la segunda.

En 1982 recibe el premio Príncipe de Asturias de las Letras junto a Gonzalo Torrente Ballester. Y en 1984 la Junta de Castilla y León le concede el Premio de las Letras, en su primera edición, por ser Delibes «escritor con territorio», como certeramente le llama César Alonso de los Ríos.

En esta década de los ochenta, sin olvidar la dimensión crítica que han ido adquiriendo sus novelas, Delibes acentúa el componente autobiográfico, presente con intensidad desigual desde *La sombra del ciprés es alargada*. Ven la luz en estos años cuatro novelas más: *Los santos inocentes* (1981), *Cartas de amor de un sexagenario voluptuoso* (1983), *El tesoro* (1985) y *Madera de héroe*, Premio Ciudad de Barcelona, 1987.

Desde la perspectiva autobiográfica es preciso señalar la importancia de *Cartas de amor de un sexagenario voluptuoso*, novela epistolar, en la que el protagonista, periodista en un imaginario diario de provincias, *El Correo de Castilla*, es el reverso autobiográfico del propio autor. Con la publicación de *Madera de héroe* —elaborada con abundante acopio de materiales autobiográficos—,[20] De-

---

[20] *Vid.* Marisa Sotelo, «*377A, madera de héroe:* la ambigüedad del heroísmo». *Miguel Delibes. El escritor, la obra y el lector.* Barcelona, Anthropos, 1992; pp. 303-315. «La guerra civil en la narrativa de Miguel Delibes. De *La sombra del ciprés es alargada* (1947) a *377A, madera de héroe* (1987)», *Letras de Deusto,* vol. 22, núm. 55 (septiembre-octubre, 1992); pp. 75-89.

libes saldaba una deuda personal y generacional: la de los españoles que participaron en la guerra civil. Y, aunque *Madera de héroe* es una novela de aprendizaje en el sentido tradicional, la descripción del conflicto bélico juega un papel determinante en la formación del carácter del protagonista, Gervasio García de la Lastra, educado en un medio familiar burgués, tradicional y católico, presionado desde la infancia por la creencia insólita de que era un ser excepcional llamado a un destino heroico. La vuelta a la infancia y a la guerra como forma más primaria de violencia presenta evidentes similitudes con *Mi idolatrado hijo Sisí* y sobre todo con *Las guerras de nuestros antepasados*.

Desde la perspectiva estética, resalta la importancia cualitativa de *Los santos inocentes*, relato duro y descarnado de la opresión de unos pobres campesinos bajo el despotismo cuasi feudal de sus amos. Desde el punto de vista formal esta novela —cuya disposición gráfica casi poemática [21] recuerda los salmos bíblicos— es uno de los textos más vanguardistas e innovadores de Delibes.

En 1991, el Ministerio de Cultura le concede a Delibes el premio Nacional de las Letras Españolas, poco antes de publicar *Señora de rojo sobre fondo gris*, a la que seguirá *Diario de un jubilado* (1995). *Señora de rojo...* es un relato testimonial, elegía y homenaje a la memoria de Ángeles, su mujer convertida en Ana, la protagonista de la novela. La

---

[21] Santos Sanz Villanueva ha aludido brevemente a la condición poemática del texto en «Hora actual de Miguel Delibes», *Miguel Delibes. El escritor, la obra y lector*. Barcelona, Anthropos, 1992; pp. 88-90.

También Delibes, al comentar la versión cinematográfica que de la novela hizo Mario Camus, lo corrobora afirmando: «Creo que ha acertado a llevar a las imágenes ese halo de poesía que quise dar a la novela. Yo quise narrar un poema en prosa». En Antonio Corral Castanedo, «Encuentro con Miguel Delibes», *Retrato Miguel Delibes*. Barcelona, Círculo de Lectores, 1986, p. 78.

técnica literaria es, en cierta medida, complementaria de *Cinco horas con Mario*. Si allí la voz de Carmen, en torrencial soliloquio, teñido de nostálgico resentimiento, evocaba durante cinco horas de velatorio su vida junto a Mario difunto, aquí es la voz desolada del narrador, álter ego de Delibes, quien recuerda con serenidad los últimos años vividos junto a su mujer, la señora de rojo, en las postrimerías del franquismo, que coinciden con la muerte prematura de la misma. Destaca la depuración, sencillez y pulcritud del lenguaje que hacen de ella en este sentido una pequeña obra maestra. En 1998, publica su última novela, *El hereje*, ambientada en Valladolid en el reinado de Felipe II. Con una sólida documentación histórica sobre el luteranismo y las luchas religiosas en Castilla, Delibes narra, con extraordinaria maestría, la peripecia existencial de Cipriano Salcedo, un luterano honesto cuya fidelidad a dicha doctrina le llevará a la muerte en la hoguera.

A su extensa producción narrativa Delibes ha venido incorporando, desde los años cuarenta, un total de veintidós cuentos en diversas series: *La partida* (1954) contiene diez relatos. *Siestas con viento Sur* (1957), volumen que incluye *La mortaja*, *El loco*, *Los nogales* y *Los raíles*, por el que se le otorgó el Premio Fastenrah. Dos de los cuentos de esta última serie, *La mortaja* y *Los nogales*, fueron comparados por su «fatalismo trágico y sobrecogedor» con el mejor Faulkner.[22]

En 1966 Delibes publica otro cuento, *La Milana*,[23] que

---

[22] Antonio Vilanova «*Siestas con viento Sur* de Miguel Delibes», *Destino*, núm. 1064 (28-XII-1957); p. 41.

[23] En *Homenaje al profesor Alarcos García*. Universidad de Valladolid, 1965-1967, vol. II; pp. 943-949. Emilio Náñez Fernández ha cotejado y estudiado la relación entre dicho cuento y el capítulo «Azarías» de *Los santos inocentes*, en «El proceso de creación en Miguel Delibes», Anuario de Estudios Filológicos (Cáceres) XIII, 1990; pp. 277-309.

se corresponde con el libro primero de *Los santos inocentes*. Finalmente, *La mortaja* (1970), volumen de nueve cuentos, encabezado por el mismo que abría *Siestas con viento Sur*. El tema es la soledad, la angustia y el miedo que atenaza al pequeño Senderines, huérfano de madre, ante el descubrimiento del cadáver de su padre. Otro ejemplo magistral de la presencia constante del miedo, la muerte y la infancia en la narrativa de Delibes. El valor germinal de muchos de estos cuentos con respecto a las novelas del autor ha sido subrayado por los críticos.[24]

Además de los libros y crónicas de viajes señalados en correlación directa con la gestación de algunas novelas, el novelista vallisoletano, poco aficionado a salir de su territorio, ha publicado: *Por esos mundos* (1961); *Europa parada y fonda* (1963); *USA y yo* (1966); *Dos viajes en automóvil: Suecia y los Países Bajos* (1982), resultado de sus impresiones de viajes y de la importancia que concede al saber mirar para no perder nunca la capacidad de sorprenderse, «un viaje exige una mirada virgen, una conciencia sin deformar», porque «quien viaja con la presunción de estar de vuelta de todo, es un observador frustrado; se precisan ojos de palurdo para sacarle a un viaje un rendimiento»,[25] ha escrito Delibes.

A caballo entre el reportaje periodístico y la crónica novelesca surgen: *Castilla* (1960), crónicas rurales reeditadas

---

[24] Miguel Ángel Pastor en el Prólogo a *La Mortaja*, señalaba con acierto cómo el Senderines era un personaje transicional entre Daniel, el Mochuelo, de *El camino* y el Nini de *Las ratas*.

Recientemente, haciendo una revisión de todos los cuentos, ha insistido en el mismo aspecto Gonzalo Sobejano, «Del relato a la novela», *El autor y su obra: Miguel Delibes. Actas de El Escorial*. Madrid, Universidad Complutense, 1993; pp. 41-53.

[25] «Volando hacia Río de Janeiro». *Por esos mundos. Obras Completas*. Barcelona, Destino, 1970; t. IV, p. 17.

en 1964 con el título de *Viejas historias de Castilla la Vieja,* y *Castilla, habla* (1986), que viene a incidir sobre una vieja preocupación del autor, levantar acta de la realidad de las gentes y la tierra castellana.

Capítulo aparte merecen los libros delicados a la caza,[26] la gran afición de Delibes. A *La caza de la perdiz roja* (1963), que puede ser leído como complemento a los conocimientos cinegéticos de Lorenzo en *Diario de un cazador,* le siguen *El libro de la caza menor* (1964); *Con la escopeta al hombro* (1970); *La caza en España* (1972); *Aventuras, venturas y desventuras de un cazador a rabo* (1977) y *El último coto* (1992). Todos ellos ejemplos espléndidos del conocimiento profundo de la tierra, el paisaje de Castilla, así como de la jerga del cazador.

A la tarea estrictamente de creación y a sus crónicas periodísticas o cinegéticas Delibes desde los años sesenta ha añadido libros de artículos, diarios y reelaboraciones autobiográficas. El primero de ellos, *Vivir al día* (1967), recopilación de una serie de artículos sobre temas diversos, publicados inicialmente en *El Norte de Castilla, La Vanguardia, Ya* e *Informaciones. Un año de mi vida,* diario literario desde el 22 de mayo de 1970 al 20 de junio de 1971, es, sin duda, un libro extraordinariamente útil para conocer la personalidad de Delibes, pues, además, de impresiones personales y valiosas reflexiones sobre la creación literaria, incluye críticas de arte, cine y literatura. Antes de ser recogidas en libro dichas impresiones habían ido apareciendo semanalmente en *Destino,* bajo el título de *Notas.*

---

[26] Además de las tantas veces mencionadas *Conversaciones con Miguel Delibes,* donde el autor explica el sentido que tiene para él la caza (págs. 149-157), resulta muy ilustrativo el artículo-entrevista de Manuel Leguineche, «De caza con Delibes», *El País Semanal* (10-IX-1978); pp. 10-15.

La tendencia al memorialismo y la autobiografía se intensifica en los hasta hoy últimos volúmenes, *Mi vida al aire libre* (1989), reelaboración de diversos motivos autobiográficos referentes sobre todo a su infancia, y *Pegar la hebra* (1990), colección de varios artículos relacionados con los temas más diversos, desde la relectura de *Nada* de Carmen Laforet, las elegías a «Garrigues, el maestro» y «Nacho, el mago», así como dos textos de singular importancia para el análisis de su labor periodística, «La censura de prensa en los años cuarenta» y «El Grupo *Norte 60*». Además, prima, en este último libro, un intento, por parte del autor, de entablar conversación con el lector, *pegar la hebra*, como gráficamente indica su título.

El premio Miguel de Cervantes, concedido a Delibes, «hombre auténtico de veras»[27] en 1994, ha venido a recompensar merecidamente esta larga y espléndida carrera de escritor, dignísimo heredero del arte cervantino en lo que éste tiene de sensibilidad afectiva, realismo y piadosa ironía.

NATURALEZA Y CONCEPTO DE LA NOVELA

Aunque Miguel Delibes ha huido siempre del papel de teórico[28] de la literatura, afirmando con modesta tozudez que es «un cazador que escribe», es evidente que de la lectura atenta de sus novelas, cuentos, diarios, conversa-

---

[27] En verso de Guillén, que inequívocamente recuerda las perífrasis con que Delibes caracteriza a sus personajes de ficción. Jorge Guillén, *Aire Nuestro, Final.* Barcelona, 1981; p. 315.

[28] «Yo sé lo que no soy: un intelectual. Pontificar sobre lo que es o no es la literatura me abruma. Y, por otra parte, no me corresponde». César Alonso de los Ríos, *Conversaciones con Miguel Delibes.* Barcelona, Destino, 1993; p. 114.

ciones y discursos se desprende, si no un corpus teórico de ideas, sí unas nociones constantes sobre la novela que evidencian —sobre todo a partir de la obtención del Premio Nadal— una reflexión lúcida y coherente sobre su tarea como novelista.

Varios trabajos de distintas épocas contienen lo esencial de dichas reflexiones: *Conversaciones con Miguel Delibes* (1971), *Un año de mi vida* (1972), «Los personajes en la novela» (*La Vanguardia*, 20 de diciembre de 1980) y «Mis personajes son en buena parte mi biografía», discurso del autor en la recepción del Premio Miguel de Cervantes (*ABC*, 26 de abril de 1994). Además, pueden rastrearse ideas similares en los diferentes prólogos del autor a los volúmenes de *Obras Completas*, en algunos de sus artículos recogidos en el libro *Vivir al día* (1953-1967) y también en «Breve reflexión sobre mi obra literaria», conferencia pronunciada en el Paraninfo de la Universidad de Barcelona en 1978, así como en «He sido un novelista de personajes», texto que recoge la intervención del autor en los cursos de El Escorial, en el verano de 1991.

El análisis de los mencionados textos revela una perfecta coherencia y fidelidad a unos principios ideológico-estéticos aunque distinta de la que encontraríamos en una retórica normativa.

De los ingredientes que se conjugan en la creación de una novela, Delibes ha resaltado siempre la importancia medular del personaje: «Crear tipos vivos, he ahí el principal deber del novelista. Unos personajes que vivan de verdad pueden hacer verosímil un absurdo argumento, relegar, hasta diluir su importancia, la arquitectura novelesca y hacer del estilo un vehículo expositivo cuya existencia apenas se percibe. Poner en pie unos personajes de carne y hueso e infundirles aliento a lo largo de doscientas páginas es, creo yo, la operación más importante de cuantas el novelista realiza (...). Visto desde este ángulo, el personaje se convierte en eje de la novela y su carácter prioritario se manifiesta desde el momento en que el resto de los elementos que integran la ficción deben plegarse a sus exigencias.»[29]

La importancia que Delibes otorga al personaje en la gestación de la novela arranca probablemente —tal como ha señalado Antonio Vilanova—[30] de la concepción unamuniana del desdoblamiento del autor en sus criaturas de ficción, expuesta por el maestro salmantino en *Tres novelas ejemplares y un prólogo* (1920) y en *Cómo se hace una novela* (1931).

Desdoblamiento autobiográfico que confirman no sólo sus novelas, sino en el que el propio Delibes ha insistido en repetidas ocasiones a lo largo de su *Diario*: «El novelista auténtico tiene dentro de sí no un personaje, sino cientos de personajes. De aquí que lo primero que el novelista debe observar es su interior. En este sentido, toda novela, todo protagonista de novela lleva dentro de sí mucho de la vida del autor. Vivir es un constante determinarse entre diversas alternativas. Mas, ante las cuartillas vírgenes, el novelista debe tener la imaginación suficiente para recular y rehacer su vida conforme otro itinerario que anteriormente desdeñó. Por aquí concluiremos que por encima de la potencia imaginativa y el don de la observación, debe contar el novelista con la *facultad de desdoblamiento*: no soy así pero pude ser así.»[31]

---

[29] Miguel Delibes, «Los personajes en la novela», *La Vanguardia* (20-XII-1980), p. 5.

[30] «*Cinco horas con Mario* o el arte de entender las razones del otro», en *Miguel Delibes. El escritor, la obra y el lector*. Barcelona, Anthropos, 1992, p. 132.

[31] Miguel Delibes, *Un año de mi vida* (3 de diciembre). *Obras Completas*. Barcelona, Destino, 1967; t. V, p. 355.

Esta lúcida reflexión a propósito de la necesidad de «observar el interior» de uno mismo desemboca en la facultad del desdoblamiento existencial y, en consecuencia, enfatiza la importancia del componente autobiográfico en la creación de sus personajes. Desdoblamiento autobiográfico que fue la idea nuclear en torno a la cual Delibes articuló el análisis de su obra en el magnífico discurso de recepción del Premio Cervantes. A lo largo del cual resuenan de nuevo con fuerza ecos del ideario estético de Unamuno antes señalados. En dicho discurso, Delibes, tras constatar que ya tenía los mismos años que el viejo contable de Cecilio Rubes en *Mi idolatrado hijo Sisí* y ponerse, por tanto, en la piel de uno de sus personajes de ficción, decía: «Si la vida siempre es breve, tratándose de un narrador, es decir de un creador de otras vidas, se abrevia todavía más, ya que éste, antes que su personal aventura, se enajena para vivir las de sus personajes. Encarnado en unos entes ficticios [...], transcurre la existencia del narrador inventándose otros "yos".» Y al matizar la interacción constante entre realidad y ficción, añadía: «Son seres inexistentes, de pura invención, mas el escritor se esfuerza por hacerlos parecer reales [...]. El problema del creador en ese momento es hacerlos pasar por vivos a los ojos del lector y de ahí su desazón por identificarse con ellos. En una palabra, el *desdoblamiento del narrador* le conduce a asumir unas vidas distintas a las suyas pero lo hace con tanta unción, que su verdadera existencia se diluye y deja en cierta medida de tener sentido para él.»

Y en otro momento del mismo discurso —pieza clave para la comprensión de su concepción novelística—, al revisar la textura humana de algunos de sus personajes más emblemáticos, con cierto poso de nostalgia por el tiempo transcurrido, afirma: «El Mochuelo, Lorenzo, el cazador, el viejo Eloy, el señor Cayo, el Azarías, Pacífico Pérez, Gervasio García de la Lastra, seres que "eran yo" en diferentes coyunturas», para terminar señalando con claridad meridiana: «Ellos iban redondeando sus vidas a costa de la mía [...]. En buena parte, ellos me habían vivido la vida, me la habían disecado poco a poco. Mis propios personajes me habían disecado, no quedaba de mí más que una mente enajenada y una apariencia de vida. Mi entidad real se había transmutado en otros, yo había vivido ensimismado, mi auténtica vida se había visto recortada por una vida de ficción.»[32]

No se puede ser más explícito y a la vez más coherente con su propio mundo de ficción, resultado de desdoblarse, de desvivirse a sí mismo para vivir otras vidas, que deben tener siempre para el lector apariencia de realidad, de seres de carne y hueso.

Conviene precisar que esos seres de ficción, verdaderos personajes intrahistóricos, son hombres corrientes, anodinos, tanto en las novelas de ambiente rural como en las de ambientación urbana. Gentes con una vida rutinaria y entrañable, en la que la cotidianidad se potencia artísticamente siempre desde la perspectiva del propio personaje, desde su subjetividad. En el intento de elevar a categoría estética la psicología y la vida del hombre medio radica el aspecto más novedoso y original de Delibes.

Para que la condición esencial, aparecer a los ojos del lector como seres de carne y hueso, se cumpla, Delibes sitúa al personaje en su historia particular, en su mundo, en su paisaje, e intenta encontrar la fórmula precisa, el tono exacto, que confiera verosimilitud a la peripecia del ente de ficción, de ese «otro yo» autorial.

---

[32] Miguel Delibes, «Discurso de recepción del Premio Miguel de Cervantes», *ABC* (26-IV-1994); p. 65.

Tras el desdoblamiento existencial, lo más difícil para el autor es «plantear el tema del libro y buscar la fórmula para resolverlo»[33] insistiendo en que «el primer quehacer del novelista, una vez elegido el tema, es, pues, acertar con la fórmula, y el segundo, coger el tono»,[34] porque Delibes, al igual que Ortega, piensa que novelar es «construir un puente» entre el autor y el lector; la forma del puente importa poco, «lo que importa es que ese puente sea seguro y que el lector se avenga a franquearlo atraído por la perspectiva del otro lado».[35]

Y, finalmente, y en estrecha relación con los dos factores señalados —personaje y tono—, la importancia decisiva de la historia: «Yo entiendo que novelar o fabular es narrar una anécdota, contar una historia.»[36] Postulando, frente a los principios teóricos de la *nouveau roman*, que todos los experimentos en relación con los personajes, el tiempo, la construcción, el enfoque —téngase en cuenta la técnica del monólogo interior en *Cinco horas con Mario*, los experimentos técnicos y de lenguaje de *Parábola del náufrago*, la supuesta transcripción textual de la conversación de Pacífico en *Las guerras de nuestros antepasados* o el tono de salmo bíblico de *Los santos inocentes*— son válidos en el terreno de la creación novelesca siempre «que se cuente algo»,[37] porque de lo contrario, a juicio del autor de *El camino*, la novela deja de ser novela para convertirse en un género nuevo, híbrido o amalgama de poesía, ensayo y novela.

---

[33] César Alonso de los Ríos, *Conversaciones con Miguel Delibes*. Barcelona, Destino, 1992; p. 103.

[34] Miguel Delibes, *Un año de mi vida* (9 de diciembre). *Obras Completas.* Barcelona, Destino, 1975; t. V, p. 358.

[35] César Alonso de los Ríos, *Conversaciones con Miguel Delibes*. Barcelona, Destino, 1993, p. 103.

[36] Ibídem, p. 111.

[37] Ibídem, p. 111.

A la luz de estas reflexiones y con un total de dieciocho novelas publicadas además de catorce cuentos, cobra verdadero sentido la definición de novela como un ejercicio de buceo psicológico que entronca con la mejor tradición narrativa española del último tercio del siglo XIX: «Yo manejo hombres y cosas, no ideas —escribe Delibes—, con lo que para mí la novela sigue siendo un intento de exploración del corazón humano y me resisto a considerar al hombre como un objeto más.»[38]

Todos estos principios mantenidos con fidelidad y laboriosidad constantes han dado como resultado un buen número de novelas que revelan no sólo la coherencia de su poética narrativa, sino el irreductible compromiso ético del novelista con sus obras y sus criaturas de ficción, tanto en el ámbito rural y primitivo de los pueblos —*El camino, Las ratas, Las guerras de nuestros antepasados, El disputado voto del señor Cayo, Los santos inocentes*—, como en el ámbito urbano de la pequeña ciudad de provincias castellana —*Mi idolatrado hijo Sisí, La hoja roja, Cinco horas con Mario, El príncipe destronado, Madera de héroe*.

Y del compromiso ético-estético se deriva en última instancia una dimensión moral que ha llevado a Delibes, desde un liberalismo de raíz cristiana «sin caer en dogmatismos políticos, a tomar partido por los débiles, los oprimidos, los pobres seres marginados que bracean y se debaten en un mundo torpemente materialista, estúpidamente irracional».[39]

La mejor manera de conocer a Delibes hombre y novelista es, en consecuencia, la lectura de sus obras, porque, como él mismo ha dicho, en el acto temporal que va

---

[38]   Miguel Delibes, Conferencia pronunciada en el Paraninfo de la Universidad de Barcelona en 1979.
[39]   Ibídem, p. 9.

desde 1948 al obtener el Premio Nadal hasta hoy, «yo no he sido tanto yo como los personajes que representé en este carnaval literario. Ellos son, pues, en buena parte, mi biografía».[40]

EL REALISMO POÉTICO DE *EL CAMINO*

En 1971, Miguel Delibes, en amistosa conversación con César Alonso de los Ríos, periodista de *El Norte de Castilla*, afirmaba a propósito de su trayectoria como novelista:

> Cuando escribí *La sombra del ciprés es alargada* lo hice en tal estado de virginidad literaria que entendía que la literatura debía ser engolada, grandilocuente [...]. A raíz del Nadal empiezo a leer un poco obras de ficción y entonces llego al convencimiento de que, abandonando la retórica y escribiendo como hablo, tal vez pueda mejorar la cosa. Así fue como entré en ese cambio del lenguaje o de técnica, o de las dos cosas [...]. En *El camino* me despojé por primera vez de lo postizo y salí a cuerpo limpio.[41]

El cambio, que se irá forjando a través de *Aún es de día*,[42] anunciaba un giro importante en la trayectoria del

---

[40] Miguel Delibes, «Discurso de recepción del Premio Miguel de Cervantes», *ABC* (26-IV-1994); p. 65.

[41] *Conversaciones con Miguel Delibes.* Barcelona, Destino, 1993; p. 25.

[42] El estilo indirecto libre había sido utilizado en alguno de los pasajes más significativos de dicha novela, para presentar los pensamientos del protagonista, aunque sin la maestría y el dominio de *El camino*.

escritor a la vez que evidenciaba un fuerte sentido auto-crítico y un irreductible compromiso ético:

> En *Aún es de día* vuelvo a la retórica hasta que me doy cuenta de eso: que es más fácil *ser fiel a uno mismo, escribir como se es.*[43]

En efecto, *El camino* (1950), recibido con unánime aplauso por la crítica literaria[44] y posteriormente con enorme éxito de público,[45] inauguraba una etapa decisiva en la producción narrativa de Miguel Delibes. Etapa caracterizada por la búsqueda incesante de autenticidad, expresada de manera extraordinariamente gráfica en ese «ser fiel a uno mismo, escribir como se es».

La lectura de *El camino* desde la perspectiva actual —transcurridos cuarenta y cinco años de escritura de novelas, cuentos, ensayos, libros de viajes— demuestra cómo el autor consigue librarse de los lastres retóricos de sus dos primeras novelas y abrirse camino en un progresivo proceso de crecimiento hacia la madurez narrativa que supuso en 1966 la publicación de su obra maestra, *Cinco horas con Mario.*

---

[43] César Alonso de los Ríos, *Conversaciones con Miguel Delibes.* Barcelona, Destino, 1992; p. 92. La cursiva es mía.

[44] Antonio Vilanova, «*El camino* de Miguel Delibes», *Destino* (núm. 75). Barcelona (10-II-1951); p. 15. Carmen Laforet, «Leyendo *El camino*», *Destino* (27-I-1951); p. 9, y «La libertad de leer», *Informaciones* (30-I-1951). José Luis Cano, *Ínsula* (1-V-1951); p. 5.

[45] Ciertamente una de las novelas de mayor éxito, tal como el autor ha reconocido: «En Puerto Rico solamente se han vendido quince o veinte mil ejemplares. Ha sido traducido a siete idiomas y además de las de Destino, circulan otras dos ediciones en castellano con notas y vocabulario, para alumnos de español: la de Holl Company, en Nueva York, y la de Harrap en Londres. Sí, se trata de una novela que nació de pie.» *Conversaciones con Miguel Delibes,* p. 127.

El cambio de lenguaje o de técnica, que llevado de un riguroso sentido autocrítico señalaba Delibes, consiste en una sabia selección de los materiales narrativos, tendente a la sobriedad, y en una depuración del lenguaje que discurre paralela a la adecuación del tono en cada nueva novela. Sustituyendo y superando «un realismo minucioso casi naturalista por un realismo poético y humorístico más estilizado», en palabras de Sobejano.[46]

A partir de estas premisas, Delibes construye en *El camino*, por procedimiento asociativo, una historia de historias, reflejo de la vida de las gentes de un pueblo castellano de la montaña, contemplado a través de los ojos inocentes y expectantes del protagonista, Daniel, el Mochuelo, que se rebuye insomne en su cama, la última noche antes de partir hacia la ciudad, para estudiar o progresar, que en la mente de su padre, el quesero, viene a ser lo mismo:

> Las cosas podían haber sucedido de cualquier otra manera y, sin embargo, sucedieron así. Daniel, el Mochuelo, desde el fondo de sus once años, lamentaba el curso de los acontecimientos, aunque lo acatara como una realidad inevitable y fatal. Después de todo, que su padre aspirara a hacer de él algo más que un quesero era un hecho que honraba a su padre. Pero por lo que a él afectaba...
>
> Su padre entendía que esto era progresar; Daniel, el Mochuelo, no lo sabía exactamente. El que estudiase el bachillerato en la ciudad podía ser, a la larga, efectivamente, un progreso. Ramón, el hijo del boticario, estudiaba ya para abogado en la ciudad, y cuando les visitaba, durante

---

[46] Gonzalo Sobejano, *Novela española de nuestro tiempo.* Madrid, Prensa Española, 1970; p. 131.

las vacaciones, venía empingorotado como un pavo real y les miraba a todos por encima del hombro; incluso al salir de misa los domingos y fiestas de guardar, se permitía corregir las palabras que don José, el cura, que era un gran santo, pronunciara desde el púlpito. Si esto era progresar, el marcharse a la ciudad a iniciar el bachillerato, constituía, sin duda, la base de este progreso (cap. I).

Pero Daniel presiente con angustia que el camino propuesto por su padre, el de la ciudad y los estudios de bachillerato, no era su verdadero camino. Él aspiraba a quedarse en su pueblo, entre las gentes del valle en el que había nacido y crecido en contacto directo con la naturaleza:

Daniel, el Mochuelo, no se cansaba nunca de ver a Paco, el herrero, dominando el hierro en la fragua. Le embelesaban aquellos antebrazos gruesos como troncos de árboles, cubiertos de un vello espeso y rojizo, erizados de músculos y de nervios [...]. Con frecuencia el herrero trabajaba en camiseta y su pecho hercúleo subía y bajaba, al respirar, como si fuera el de un elefante herido. Esto era un hombre. Y no Ramón, el hijo del boticario, emperejilado y tieso y pálido como una muchacha mórbida y presumida. Si esto era el progreso, él, decididamente, no quería progresar. Por su parte, se conformaba con tener una pareja de vacas, una pequeña quesería y el insignificante huerto de la trasera de su casa. No pedía más. Los días laborables fabricaría quesos, como su padre, y los domingos se entretendría con la escopeta, o se iría al río a pescar truchas o a echar una partida al corro de bolos (cap. I).

Sus deseos y aspiraciones se ajustaban a las palabras de don José, el cura, cuando en el sermón dominical exhortaba a las gentes del pueblo en la conformidad cristiana con el destino de cada uno:

—Hijos, en realidad, todos tenemos un camino marcado en la vida. Debemos seguir siempre nuestro camino, sin renegar de él —decía don José—. Algunos pensaréis que esto es más bien fácil, pero, en realidad, no es así. A veces el camino que nos señala el Señor es áspero y duro [...].

La felicidad —concluyó— no está, en realidad, en lo más alto, en lo más grande, en lo más apetitoso, en lo más excelso; está en acomodar nuestros pasos al camino que el Señor nos ha señalado en la tierra. Aunque sea humilde (cap. XVII).

Se trata, por tanto, de un camino de conformidad, marcado por cierto fatalismo. Pero, tal como observó Sobejano, es preciso señalar que «Daniel no se impone la fidelidad a su propio ser, sino que no puede menos de permanecer fiel a su vocación natural».[47] Palabras que han sido corroboradas por el juicio del autor al señalar que cuando el niño de *El camino* se niega a estudiar, a marcharse del pueblo, «yo lo que pretendo es decir que hay personas con vocación de ruralismo y no hay por qué oponerse a ello».[48]

Y esto no debe interpretarse como una actitud reaccionaria ante el progreso, sino que para Daniel, el Mochuelo, como para el Nini de *Las ratas*, Lorenzo de *Dia-*

---

[47]   Ibídem, p. 143.
[48]   César Alonso de los Ríos, *Conversaciones con Miguel Delibes*. Barcelona, Destino, 1992; p. 147.

*rio de un cazado*r o el protagonista de *El disputado voto del señor Cayo*, en el medio primitivo y rural en el que han nacido, del que se sienten parte integrante y consustancial, encuentran su auténtico destino, porque «a un pueblo lo hacen sus hombres y su historia. Y Daniel, el Mochuelo, sabía que por aquellas calles cubiertas de pastosas boñigas y por las casas que las flanqueaban pasaron hombres honorables, que hoy eran sombras, pero que dieron al pueblo y al valle un sentido, una armonía, unas costumbres, un ritmo, un modo propio y peculiar de vivir» (cap. III).

Éste es el destino, el camino, al que aspiraba Daniel y ésta es la idea nuclear de la novela, el tema y el título al mismo tiempo.

Tal como se desprende de los fragmentos antes transcritos, la filtración del relato se produce a través de una única conciencia, la de Daniel, el Mochuelo, que rememora, en una noche de insomnio, sus once años de vida en el pueblo, en el valle, con su paisaje familiar, sus gentes, costumbres, motes y manías.

La capacidad del narrador para introducirse en el personaje haciéndose hasta cierto punto cómplice de su percepción del mundo hace que estemos ante un relato focalizado internamente, en la modalidad de estilo indirecto libre. Pues el narrador se sitúa en la conciencia de Daniel, el Mochuelo, y traspone lo que pasa en y por su interior. La focalización o punto de vista sigue correspondiendo únicamente al personaje —como en el monólogo interior—, pero no así la voz:

La idea de la marcha desazonaba a Daniel, el Mochuelo. Por la grieta del suelo se filtraba la luz de la planta baja y el haz luminoso se posaba en el techo con una fijeza obsesiva. Habrían de pasar tres meses sin ver

aquel hilo fosforescente y sin oír los movimientos quedos de su madre en las faenas domésticas; o los gruñidos
ásperos y secos de su padre, siempre malhumorado; o
sin respirar aquella atmósfera densa, que se adentraba
ahora por la ventana abierta, hecha de aromas de heno
recién segado y de resecas boñigas. ¡Dios mío, qué largos eran tres meses! (cap. I).

Desde esta perspectiva la narración «no se sujeta a un
diseño predeterminado, sino que resulta de la libre evocación desordenada pero coherente del protagonista».[49]
Dicha evocación se encierra en los límites precisos del
tiempo del discurso —una sola noche—; comienza al anochecer con:

Daniel, el Mochuelo, se revolvió en el lecho y los muelles de su camastro de hierro chirriaron desagradablemen-
te. Que él recordase, era ésta la primera vez que no se
dormía tan pronto caía en la cama. Pero esta noche tenía
muchas cosas en que pensar. Mañana, tal vez, no fuese ya
tiempo. Por la mañana, a las nueve en punto tomaría el
rápido ascendente y se despediría del pueblo hasta las Navidades. Tres meses encerrado en un colegio. A Daniel, el
Mochuelo, le pareció que le faltaba aire y respiró con ansia
dos o tres veces. Presintió la escena de la partida y pensó
que no sabría contener las lágrimas, por más que su amigo
Roque, el Moñigo, le dijese que un hombre bien hombre
no debe llorar aunque se le muera el padre (cap. I).

Y termina al amanecer del mismo día, cuando Daniel
se levanta para emprender un nuevo camino. Las corres-

---

[49] Gonzalo Sobejano, *Novela española de nuestro tiempo.* Madrid, Prensa Española, 1970; p. 141.

pondencias y paralelismos entre ambos pasajes son evidentes:

> En torno a Daniel, el Mochuelo, se hacía la luz de un modo imperceptible. Se borraban las estrellas del cuadrado del cielo delimitado por el marco de la ventana y sobre el fondo blanquecino del firmamento la cumbre del Pico Rando comenzaba a verdear. Al mismo tiempo, los mirlos, los ruiseñores, los verderones y los rendajos iniciaban sus melodiosos conciertos... (cap. XXI).

Y con estas palabras finaliza la novela:

> Y se retiró de la ventana violentamente, porque sabía que iba a llorar y no quería que la Uca-uca le viese. Y cuando empezó a vestirse le invadió una sensación muy vívida y clara de que tomaba un camino distinto del que el Señor le había marcado. Y lloró, al fin (cap. XXI).

Sin embargo, el tiempo de la historia, al comenzar el relato prácticamente en su punto final —cuando ya ha sido decidida la marcha de Daniel hacia la ciudad—, provoca una serie de analepsis en la evocación, que contienen varias historias que se entrecruzan entre sí, al azar de fortuitos enlaces y de un orden eminentemente subjetivo.

La novela se articula en una especie de circularidad estructural, sinfónica, pues se repiten los mismos elementos, al comienzo y al final de la evocación. El tono de Daniel es intimista y la evocación panorámica.

Evocación panorámica a base de pequeñas historias, que constituyen un verdadero retablo de tipos y costumbres pueblerinas. La historia de Paco, el herrero; Quino, el Manco; Germán, el Tiñoso; las Guindillas o la de Sara y el maestro, entre otras, están en mayor o menor grado supeditadas a la historia principal —la de Daniel, el Mochuelo— a través de unos pocos motivos ligados que giran en torno al descubrimiento del origen de la vida, del amor, el sexo, la amistad, el valor y la conciencia de la muerte.

Siguiendo dicha estrategia narrativa el capítulo II se abre con una críptica referencia ligada al descubrimiento del origen de la vida:

> Ahora Daniel, el Mochuelo, ya sabía lo que era tener el vientre seco y lo que era un aborto (cap. II).

Y posteriormente, el capítulo VI comienza también con la misma referencia:

> Pero, Daniel, el Mochuelo, sí sabía ahora lo que era tener el vientre seco y lo que era un aborto. Estas cosas se hacen sencillas y comprensibles a determinada edad.
>
> [...] Mas también Germán, el Tiñoso, el hijo del zapatero, sabía lo que era un vientre seco y lo que era un aborto (cap. VI).

Hasta que, finalmente, el motivo queda totalmente desarrollado en el capítulo VII. En una de las múltiples aventuras de la pandilla formada por Daniel, el Mochuelo, Germán, el Tiñoso, y Roque, el Moñigo, cuando tras bañarse en la Poza del Inglés, Roque, el líder de la pandilla, desvela a sus compañeros el secreto de la maternidad, contenido en la críptica frase, «tener el vientre seco», con que los otros dos niños habían aludido a él en repetidas ocasiones:

> —¡Mirad! —chilló el Mochuelo—. Seguramente será la cigüeña que espera la maestra de La Cullera. Va en esa dirección.

Cortó el Tiñoso:

—No es una cigüeña; es una grulla.

El Moñigo se sentó en la hierba frunciendo los labios en un gesto hosco y enfurruñado. Daniel, el Mochuelo, contempló con envidia cómo se inflaba y desinflaba su enorme tórax.

—¿Qué demonio de cigüeña espera la maestra? ¿Así andáis todavía? —dijo el Moñigo.

El Mochuelo y el Tiñoso se incorporaron también, sentándose en la hierba. Ambos miraban anhelantes al Moñigo; intuían que algo iba a decir de «eso». El Tiñoso le dio pie.

—¿Quién trae los niños, entonces? —dijo.

Roque, el Moñigo, se mantenía serio, consciente de su superioridad en aquel instante.

—El parir —dijo, seco, rotundo (cap. VII).

La espontaneidad y desparpajo del diálogo infantil se cierra con esta breve reflexión de Germán, el Tiñoso, miembro de la larga prole de hijos del zapatero, ante el descubrimiento de que, tal como afirmaba con rotundidad Roque, el Moñigo, los niños venían del «parir»:

—La cigüeña no trae los niños entonces, ¿verdad? Ya me parecía raro a mí —explicitó—. Yo me decía, ¿por qué mi padre va a tener diez visitas de la cigüeña y la Chata, la vecina, ninguna y está deseando tener un hijo y mi padre no quería tantos? (cap. VII).

En otros casos, los engarces narrativos se producen entre el final de un capítulo y el comienzo del siguiente, tal es el caso del segundo que se cierra con una referencia a Paco, el herrero, «el hombre más vigoroso del valle», para comenzar el III con la evocación minuciosa y sentimental del valle, cuyo desarrollo ocupa una parte fundamental del mismo:

> El valle... Aquel valle significaba mucho para Daniel, el Mochuelo. Bien mirado significaba todo para él. En el valle había nacido y, en once años, jamás franqueó la cadena de altas montañas que lo circuían. Ni experimentó la necesidad de hacerlo siquiera (cap. III).

De nuevo, en el capítulo IX, siguiendo la misma estrategia narrativa se alterna el plano actual —la última noche de Daniel en su casa— con el plano evocado, el valle, que reaparece arropando sus recuerdos con una fuerza absolutamente avasalladora, que le impide conciliar el sueño:

> Comprendía Daniel, el Mochuelo, que ya no le sería fácil dormirse. Su cabeza, desbocada hacia los recuerdos, en una febril excitación, era un hervidero apasionado, sin un momento de reposo. Y lo malo era que el día siguiente habría de madrugar para tomar el rápido que le condujese a la ciudad. Pero no podía evitarlo. No era Daniel, el Mochuelo, quien llamaba a las cosas y al valle, sino las cosas y el valle quienes se le imponían, envolviéndole en sus rumores vitales, en sus afanes ímprobos, en los nimios y múltiples detalles de cada día.
>
> [...] La pequeña historia del valle se reconstruía ante su mirada interna, ante los ojos de su alma, y los silbidos distantes de los trenes, los soñolientos mugidos de las vacas, los gritos lúgubres de los sapos bajo las piedras, los aromas húmedos y difusos de la tierra avivaban su nostalgia, ponían en sus recuerdos una nota de palpitante realidad (cap. IX).

Incluso, a veces, es la sabia dosificación de una historia en diferentes secuencias la que sirve de engarce al aparente desorden de la evocación, tal es el caso de la historia de «las Guindillas». Veamos el proceso: El capítulo IV termina con la alusión al mote de Lola, la tendera, Guindilla mayor, cuyo esperpéntico retrato se desarrolla en el capítulo siguiente:

> Es verdad que la Guindilla mayor se tenía bien ganado el apodo por su carita redonda y coloradita y su carácter picante y agrio como el aguardiente. Por añadidura era una cotilla [...].
>
> La Guindilla mayor, no obstante el tono rojizo de su piel, era alta y seca como una cucaña, aunque ni siquiera tenía, como ésta, un premio en la punta. Total, que la Guindilla no tenía nada, aparte de unas narices muy desarrolladas, un afán inmoderado de meterse en vidas ajenas y un vario y siempre renovado repertorio de escrúpulos de conciencia (cap. V).

Al retrato caricaturesco de Lola, la mayor de las Guindillas, le sigue la estampa, no menos grotesca, de las tres hermanas que «caminaban tiesas y erguidas, las tres, hiciera frío, lloviera o tronase. Además marchaban regularmente, marcando el paso, porque su padre, aparte de los ahorros, dejó a sus hijas en herencia un muy despierto y preciso sentido del ritmo militar y de otras virtudes castrenses. Un-dos, un-dos, un-dos; allá avanzaban las tres Guindillas, con sus bustos secos, sus caderas escurridas y su soberbia estatura, camino de la iglesia, con los velos anudados a la barbilla y el breviario debajo del brazo» (cap. V).

Para, tras constatar con pinceladas rápidas la muerte de Elena, la Guindilla mediana, terminar el capítulo V con la historia de Irene, la pequeña, cuya fuga con Dimas, el oficinista del Banco, obliga a su hermana mayor a poner en la puerta de la tienda un insólito y lapidario cartel, «Cerrado por deshonra», que funciona como anticipo del desenlace de la historia de la Guindilla menor, que se retomará de nuevo en el capítulo VIII:

> Según Roque, el Moñigo, la Guindilla menor era una de las mujeres del pueblo que tenía el vientre seco. Esto, aunque de difícil comprobación, no suponía nada de particular porque las Guindillas, más o menos, lo tenían seco todo.
>
> La Guindilla menor regresó al pueblo en el tranvía interprovincial a los tres meses y cuatro días, exactamente, de su fuga. El regreso, como antes la fuga, constituyó un acontecimiento en el valle, aunque, también, como todos los acontecimientos, pasó y se olvidó [...]. Pero, de esta manera, iba elaborándose, poco a poco, la pequeña y elemental historia del valle. Claro que la Guindilla regresó sola, y a don Dimas, el del Banco, no se le volvió a ver el pelo, a pesar de que don José, el cura, prejuzgaba que no era mal muchacho. Bueno o malo, don Dimas se disolvió en el aire, como se disolvía, sin dejar rastro, el eco de las montañas (cap. VIII).

El «Cerrado por deshonra», especie de motivo anunciado de la fuga en el capítulo V, queda totalmente justificado con la evocación del regreso de la pobre mujer abandonada y burlada a lo largo del capítulo VIII:

> Irene, la Guindilla menor, al apearse del tren llevaba lágrimas en los ojos y parecía más magra y consumida que cuando marchó, tres meses antes. Aparentaba caminar bajo el peso de un fardo invisible que la obligaba a encorvarse por la cintura. Eran, sin duda, los remordimientos. Vestía como suelen vestir las mujeres viudas, muy viudas, toda enlutada y con una mantilla negra y tupida que le escamoteaba el rostro (cap. VIII).

Y, por último, en el capítulo XVIII, se retoma de nuevo la historia de la Guindillas, pero, esta vez, para relatar el sorprendente enamoramiento de Lola, la Guindilla mayor —beata solterona— y Quino, el Manco, padre de la Uca-uca:

> Como otras muchas mujeres, la Guindilla mayor despreció el amor mientras ningún hombre le propuso amar y ser amada. A veces, la Guindilla se reía de que el único amor de su vida hubiera nacido precisamente de su celo moralizador. Sin su afán de recorrer los montes durante las anochecidas de los domingos no hubiera soliviantado a los mozos del pueblo, y, sin soliviantar a los mozos del pueblo, no hubiera dado a Quino, el Manco, oportunidad de defenderla y sin esta oportunidad, jamás se hubiera conmovido el seco corazón de la Guindilla mayor, demasiado ceñido y cerrado entre las costillas. Era, la de su primer y único amor, una cadena de causalidad y casualidad que si pensaba en ella la abrumaba. Son infinitos los caminos del Señor (cap. XVIII).

A esta historia de historias, verdadero prodigio de ironía, se engarzan a su vez dos motivos más: la travesura de la pandilla de Daniel, el Mochuelo, con la lupa de Germán, que acaba abrasando al gato de las Guindillas, adormilado en el escaparate de la tienda, y el bochorno de Daniel al participar en el coro de voces vírgenes, dirigido por la Guindilla mayor, el día de la fiesta del pueblo:

> Daniel, el Mochuelo, lo perdonaba todo a la Guindilla menos el asunto del coro; la despiadada forma en que le puso en evidencia ante los ojos del pueblo entero y el convencimiento de ella de su falta de definición sexual (cap. XVII).

Del lance del coro deriva a su vez el episodio de la cucaña, a la que trepa temerariamente Daniel, el Mochuelo, como desquite lógico a su virilidad ofendida por las miradas inculpatorias de Roque, el Moñigo, al haber cantado en el coro de voces puras, que, en el código del líder de la pandilla, era un coro de «¡niñas-maricas!», y también espoleado por los inocentes celos hacia el novio de la Mica, la hija del Indiano. La descripción precisa y llena de matices de la peripecia de la cucaña se produce en estos términos:

> Se sentía como embriagado; acuciado por una ambición insaciable de dominio y potestad. Siguió trepando sordo a las reconvenciones de abajo. La cucaña era allí más delgada y se tambaleaba con su peso como un hombre ebrio. Se abrazó al palo frenéticamente, sintiendo que iba a ser impulsado contra los montes como el proyectil de una catapulta. Ascendió más. Casi tocaba ya los cinco duros donados por «los Ecos del Indiano». Pero los muslos le escocían, se le despellejaban, y los brazos apenas tenían fuerzas. «Mira, ha venido el novio de la Mica», «Mira, ha venido el novio de la Mica», se dijo, con rabia mentalmente, y trepó unos centímetros más. ¡Le faltaba tan poco! Abajo reinaba un silencio expectante. «Niña, marica; niña, marica», murmuró y ascendió un poco más. Ya se hallaba en la punta (cap. XVII).

Este ejemplo entre otros ilustra magistralmente el procedimiento basado en la asociación de recuerdos, anécdotas, vivencias que fluyen en la mente del protagonista en la última noche en el pueblo y que conforman la trama de la novela, adoptando en cada momento el tono, el registro preciso desde la comicidad al patetismo y al drama. La estructura basada en la alternancia del plano actual, la última noche o tiempo del discurso, y el plano evocado o tiempo de la historia, con continuas analepsis que se engarzan unas a otras de manera subjetiva y desordenada, dan cabida a otras tantas historias breves como la del suicidio de la Josefa; la triste orfandad de la Uca-uca; el enamoramiento, provocado por la pandilla, entre Sara y don Moisés, el Peón, maestro del pueblo; las manzanas del Indiano y el enamoramiento de Daniel hacia la Mica, hija de aquél; la travesura del túnel del tren; la experiencia cinegética de Daniel y, finalmente, el accidente y la muerte de Germán, el Tiñoso.

De todas estas anécdotas interesa resaltar las dos últimas por su componente autobiográfico y porque las ideas que las vertebran se convertirán en constantes temáticas de la obra de Miguel Delibes.

La experiencia cinegética de Daniel junto a su padre y el gran duque responde, en primer lugar, a una de las más arraigadas aficiones —la caza—[50] en la vida de Delibes y, además, dicha anécdota es, en realidad, trasunto casi literal de una de sus primeras experiencias cinegéticas, narrada por el autor en el capítulo inicial de *Mi vida al aire libre* (1989), dedicado a la evocación de su padre.

El paralelismo entre el mencionado pasaje de *El camino*, que tiene un halo evidente de ritual iniciático (capítulo XII) y el primer capítulo de *Mi vida al aire libre*, titulado «La herencia», es evidente. En dicho capítulo, Delibes evoca la figura de su padre, como un hombre aficionado a la vida al aire libre y con una gran afición cinegética:

---

[50] Afición a la que el autor ha dedicado específicamente varias de sus obras señaladas en la primera parte de esta introducción, además de las múltiples referencias en otras novelas, como *Los santos inocentes*, donde la milana es utilizada como reclamo de caza al igual que el gran duque de *El camino*.

Mi padre, antes que ciclista y nadador, fue cazador y sobre todo un hombre de campo. Desde muy niño le recuerdo preparando los trebejos de caza las tardes de los sábados: una escopeta inglesa que había adquirido a principios de siglo de segunda mano por mil pesetas [...] una canana de buen cuero desgastada por el uso, un morral almidonado por la sangre y la orina de los conejos, un abrigo verde, peludo, de tacto muy cariñoso, unos legüis marrones, que se abrochaban arriba y abajo con hebillas, y un sombrero de alas caídas, de mezclilla.[51]

Tras la semblanza de su padre, Miguel Delibes evoca con nitidez un recuerdo concreto, que contiene en embrión el motivo temático en torno al que gira el mencionado capítulo XII de *El camino*, y escribe:

El recuerdo más tierno que guardo de mi padre (mi padre no era muy niñero, ni dado a demostraciones convencionales de cariño) es allí, en el monte, solo, alto, delgado, el perro a la vera, las alas del sombrero de mezclilla sobre los ojos, la escopeta en guardia baja, atento, alerta como Ortega exigía del cazador. Se le adivinaba en su medio, tranquilo, respirando regularmente, una aromática ramita de tomillo en el ojal de la solapa y una pluma de perdiz en la cinta del sombrero. Al acecho.[52]

De su padre nos dice el novelista que no era muy niñero y menos aún aficionado a las demostraciones convencionales de cariño, tampoco lo era el quesero, evocado por Daniel con «gruñidos ásperos y secos». Pero, además,

---

[51] Miguel Delibes, *Mi vida al aire libre*. Barcelona, Destino, 1989; págs. 16-17.
[52] Ibídem, p. 20.

el pasaje antes transcrito contiene un detalle nimio, la imagen de la ramita aromática de tomillo, que reaparece convenientemente reelaborada en sensación olfativa, al evocar Daniel el atuendo de caza de su padre:

> Al asentarse el tiempo, su padre le dijo una noche, de repente, al Mochuelo:
> —Prepárate. Mañana iremos a los milanos. Te llamaré con el alba.
> Le entró un escalofrío por la espalda a Daniel, el Mochuelo. De improviso, y sin ningún motivo, su nariz percibía ya el aroma de tomillo que exhalaban los pantalones del quesero... (cap. XII).

Pero, más allá de estos detalles, que no son de por sí suficientemente significativos, la evocación de Delibes en *Mi vida al aire libre* rememora un hecho concreto, el perdigón rebotado de la escopeta de su padre que le hirió de niño en la mejilla:

> Pero de pronto, sentí una detonación seca a mi derecha y simultáneamente un latigazo en la mejilla. Levanté la mano y la retiré ensangrentada.
> —¡Me has dado! —grité, asustado.
> —¿Cómo dices?
> —¡Que me has dado! —repetí con acento melodramático.
> Mi padre, quien a veces me parecía frío y distante, asomó demudado entre las carrascas. Su interés patético me enterneció.
> —¿Ha sido mucho, hijo? ¿Ha sido mucho?
> No era más que un perdigón rebotado, desviado por un bogal, perdigón que mi propio padre extrajo presionando con los pulgares, como si fuera una espinilla, pero

para él, cuya prudencia con la escopeta era extremada, el accidente constituyó un motivo de disgusto.[53]

En el texto de la novela el mencionado percance se reproduce casi de forma literal y el susto del padre del autor se transforma en una preocupación desmesurada ante el temor de la muerte y, por tanto, ante la imposibilidad de que el quesero viera cumplido su máximo deseo, enviar a Daniel a la ciudad para progresar:

> El grito de júbilo de su padre no encontró eco en Daniel, el Mochuelo. Éste se había llevado la mano a la mejilla al oír el segundo disparo. Simultáneamente con la detonación, sintió como si le atravesaran la carne con un alambre candente, como un latigazo instantáneo. Al retirar la mano vio que tenía sangre en ella. Se asustó un poco. Al momento comprendió que su padre le había pegado un tiro.
>
> —Me has dado —dijo tímidamente.
>
> El quesero se detuvo en seco; su entusiasmo se enfrió instantáneamente. Al aproximarse a él casi lloraba de rabia.
>
> —¿Ha sido mucho, hijo? ¿Ha sido mucho? —inquirió, excitado.
>
> Por unos segundos, el quesero lo vio todo negro, el cielo, la tierra y todo negro. Sus ahorros concienzudos y su vida sórdida dejaron, por un instante, de tener dimensión y sentido. ¿Qué podía hacer él si había matado a su hijo, si su hijo ya no podía progresar? Mas, al acercarse, se disiparon sus oscuros presentimientos. Ya a su lado, soltó una áspera carcajada nerviosa y se puso a hacer cómicos aspavientos.

---

[53] Ibídem, pp. 26-27.

—Ah, no es nada, no es nada —dijo—. Creí que era otra cosa. Un rebote. ¿Te duele, te duele? Ja, ja, ja. Es sólo un perdigón (cap. XII).

Las analogías y el paralelismo en la reconstrucción de la anécdota son evidentes, aunque la reelaboración novelesca está dominada por un tono más hiperbólico.

En cuanto al segundo episodio, la muerte de Germán, el Tiñoso, es también fundamental, tanto por su significación en la novela, el único motivo de verdadero dolor en la conciencia infantil de Daniel, como porque la muerte, presente ya en *La sombra del ciprés es alargada*, con el paso del tiempo iba a convertirse en uno de los motivos temáticos fundamentales, casi obsesivos, de la narrativa de Delibes. Se trata también aquí de un desdoblamiento del autor. La proyección sobre el personaje de una de las obsesiones que atenazaron al autor desde niño, tal como él mismo ha reconocido: «La muerte es una constante en mi obra. Yo diría más, diría que es una obsesión.»[54]

Germán, el Tiñoso, muere accidentalmente al resbalar y caer contra una piedra en el río. La amistad infantil alimentada por la convivencia, los juegos, las diabluras y los secretos compartidos se ve de pronto truncada por la muerte. Prácticamente igual que en *La sombra del ciprés es alargada*, donde la prematura muerte de Alfredo trunca la amistad y el único vínculo cordial y afectivo de la vida de Pedro, el solitario protagonista. En ambos casos, la muerte desvela ante los ojos de los protagonistas la existencia del dolor, del paso inexorable del tiempo, del final del paraíso feliz de la infancia:

---

[54] César Alonso de los Ríos, *Conversaciones con Miguel Delibes*. Barcelona, Destino, 1993; p. 41.

Daniel, el Mochuelo, pasó la noche en vela, junto al muerto. Sentía que algo grande se velaba dentro de él y que en adelante nada sería como había sido. Él pensaba que Roque, el Moñigo, y Germán, el Tiñoso, se sentirían muy solos cuando él se fuera a la ciudad a progresar, y ahora resultaba que el que se sentía solo, espantosamente solo, era él, y sólo él. Algo se marchitó de repente muy dentro de su ser: quizá la fe en la perennidad de la infancia. Advirtió que todos acabarían muriendo, los viejos y los niños. Él nunca se paró a pensarlo y al hacerlo ahora, una sensación punzante y angustiosa casi le asfixiaba. Vivir de esta manera era algo brillante, y a la vez, terriblemente tétrico y desolado. Vivir era ir muriendo día a día, poquito a poco, inexorablemente. A la larga, todos acabarían muriendo: él, y don José, y su padre, el quesero, y su madre, y las Guindillas, y Quino, y las cinco Lepóridas y Antonio, el Buche, y la Mica, y la Mariuca-uca, y don Antonino, el marqués, y hasta Paco, el herrero (cap. XIX).

La toma de conciencia por parte de Daniel, el Mochuelo, de que la vida tenía un final, de que la muerte era «lacónica, misteriosa y terrible», impregna la evocación del paisaje del valle en este pasaje de la novela. Y no es sólo porque Delibes recurra al tópico de que vivir es ir muriendo poco a poco y de que, en cierta manera, desde los clásicos la naturaleza se conduele, se impregna del sentimiento de dolor del hombre, sino, sobre todo, porque la percepción del paisaje es subjetiva —a través de los ojos de Daniel—, y, por tanto, se produce una continua sintonía entre dicha percepción y el estado de ánimo del protagonista. La percepción del paisaje que tiene ahora Daniel es luctuosa, triste, como si la naturaleza participara también de su sentimiento de dolor y muerte:

De repente, el valle se había tornado gris y opaco a los ojos de Daniel, el Mochuelo. Y la luz del día se hizo pálida y macilenta [...].

Las montañas tenían un cariz entenebrecido y luctuoso aquella tarde y los prados y las callejas y las casas del pueblo y los pájaros y sus acentos (cap. XIX).

Visión que contrasta con las múltiples evocaciones arcádicas e idílicas del valle a lo largo de la novela, en las que predomina la sensación armónica de vida, de luz, de fruición aromática y vegetal, que las sensaciones olfativas, tan presentes a lo largo del relato, contribuyen a intensificar: el olor a boñiga, a tomillo, a tierra húmeda, a heno recién segado:

[...] El valle despertaba a un nuevo día con una fruición aromática y vegetal. Los olores se intensificaban, cobraban densidad y consistencia en la atmósfera circundante, reposada y queda (cap. XXI).

Indudablemente esto es así porque Delibes plantea en *El camino* como también en otros relatos: *Las ratas, Los santos inocentes, El disputado voto del señor Cayo* o *Las guerras de nuestros antepasados*, una especie de íntima comunión entre el hombre y la naturaleza. Por ello, a Daniel, el Mochuelo, le dolía como un desgarro de su alma dejar aquel valle en el que se encerraba toda su vida y su historia:

A Daniel, el Mochuelo, le dolía esta despedida como nunca sospechara. Él no tenía la culpa de ser un sentimental. Ni de que el valle estuviera ligado a él de aquella manera absorbente y dolorosa. No le interesaba el progreso. El progreso, en verdad, no le importaba un ardite. Y, en cambio, le importaban los trenes diminutos en la distancia y los caseríos blancos y los prados y los maizales parcelados; y la Poza del Inglés, y la gruesa y enloquecida corriente del Chorro; y el corro de bolos; y los tañidos de las campanas parroquiales; y el gato de la Guindilla; y el agrio olor de las encellas sucias, y la formación pausada y solemne y plástica de una boñiga; y el rincón melancólico y salvaje donde su amigo Germán, el Tiñoso, dormía el sueño eterno; y el chillido reiterado y monótono de los sapos bajo las piedras en las noches húmedas; y las pecas de la Uca-uca y los movimientos lentos de su madre en los quehaceres domésticos; y la entrega confiada y dócil de los pececillos del río; y tantas y tantas otras cosas del valle. Sin embargo, todo había que dejarlo por el progreso (cap. XXI).

El fragmento transcrito de las últimas páginas de la novela es esencialmente una enumeración y recoge prácticamente todos los elementos característicos de la fisonomía del valle, diseminados a lo largo de la evocación: «trenes diminutos», «caseríos blancos», «prados y maizales», «la Poza del Inglés», «la corriente del Chorro», «el corro de bolos», «los tañidos de las campanas», «el agrio olor de las encellas»... En consecuencia, casi podría hablarse de una estructura poética —la correlación—, en la modalidad de diseminación-recolección.

Además, dicho fragmento sintetiza la idea matriz de la novela, la resistencia del niño a abandonar sus raíces, su geografía y su paisaje. La marcha del pueblo supone romper el equilibrio entre hombre y Naturaleza que Delibes ha reclamado desde sus novelas, a través de personajes como Daniel, el Mochuelo, que no quiere abandonar el valle, porque se siente parte de él, porque el paisaje tiene nombre, concreción, recuerdos, vivencias acumuladas desde tiempo atrás que le confieren personalidad propia. Tal

como señalaba Delibes en *El sentimiento del progreso desde mi obra*, verdadero correlato explicativo de su ideo-
logía proyectada sobre sus criaturas de ficción:

> Cuando hace cinco lustros escribí mi novela *El cami-
> no*, donde un muchachito, Daniel, el Mochuelo, se resiste
> a abandonar la vida comunitaria de la pequeña villa para
> integrarse en el rebaño de la gran ciudad, algunos me ta-
> charon de reaccionario: no querían admitir que a lo que
> renunciaba Daniel, el Mochuelo, era a convertirse en
> cómplice de un progreso de dorada apariencia pero abso-
> lutamente irracional.[55]

En consecuencia, los personajes de Delibes se resisten
a integrarse en el rebaño uniforme de la civilización urbana, a ser un esclavo más del progreso tecnológico y apues-
tan por la naturaleza como vía de afirmación de su propia
dignidad, de su autenticidad como seres humanos:

> En 1949, Daniel, mi pequeño héroe, se resistía a inte-
> grarse en una sociedad despersonalizadora, pretendida-
> mente progresista, pero en el fondo, de una mezquindad
> irrisoria.[56]

LENGUA Y ESTILO: «ES MÁS FÁCIL SER FIEL
A UNO MISMO, ESCRIBIR COMO SE ES»

Si la lengua refleja una determinada concepción del
mundo y el estilo es uno mismo, resulta evidente que la

---

[55] Miguel Delibes. *El sentido del progreso desde mi obra. S.O.S.*
Barcelona, Destino, 1976; p. 18.
[56] Ibídem, p. 20.

precisión, rigor y autenticidad del lenguaje en las novelas de Delibes —singularmente a partir de *El camino*—, debe ser interpretada como una muestra más del irreductible compromiso ético y estético del escritor consigo mismo y con la realidad y las gentes que pueblan sus novelas.

El camino inaugura un nuevo estilo, un nuevo lenguaje en la trayectoria de Miguel Delibes, consistente en la depuración de los excesos retóricos y en la búsqueda constante de la lengua viva, resultado de su buen oído, de su extraordinaria capacidad para captar la palabra directa, el habla de las gentes, tal como él mismo afirmaba en 1988:

> Me gusta mucho, me fascina oír. Prestar el oído cuando la gente está hablando en el autobús o en el metro me divierte mucho. La atracción por la palabra directa se me manifiesta por primera vez en una cacería, en Villafuerte de Esgueva, hace muchos años, por boca de una mujer muy vivaz y muy expresiva, cuyos giros, circunloquios y expresiones recogí luego en un cuento. Ahí es donde me cazó esta voluntad de captar tal como es la lengua en sus fuentes.[57]

«La voluntad de captar la lengua en sus fuentes», la naturalidad y espontaneidad del habla coloquial corre pareja al propósito último de sus novelas, que no es otro que la búsqueda de la autenticidad y la fidelidad a los personajes y los ambientes de Castilla, tal como señalaba el autor en conversación a César Alonso de los Ríos:

---

[57] «Liberalismo y estilo en Miguel Delibes» (Entrevista de José M.ª Marco), *Quimera*, núm. 77, Barcelona (febrero, 1988); p. 18.

En mis novelas y relatos de Castilla lo único que pretendo es llamar a las cosas por su nombre y saber el nombre de las cosas. Los que suelen acusarme de que hay un exceso de literatura en mis novelas se equivocan, y es que rara vez se han acercado a los pueblos. La tendencia a la precisión que me despertó la lectura del Garrigues[58] [...] se agudizó al tratar a las gentes de Castilla. Es decir, la propiedad con que definen sus problemas o la topografía que les circunda es inusual, infrecuente. Este lenguaje rural —porque no tiene que ver con el popular— sigue aún llamándome la atención.[59]

Así como la precisión de «llamar a las cosas por su nombre y saber el nombre de las cosas», con lo que implica de compenetración del hombre con el medio, recuerda el pensamiento de Ortega cuando en «Pedagogía del paisaje» escribía: «No creo que hoy pueda nadie jactarse de una íntima relación con la naturaleza [...]. El hombre primitivo le era más próximo, la naturaleza hablábale con mayor vivacidad y por eso sabía poner nombre a las cosas.»[60] Porque el lenguaje rústico, tal como afirma Delibes por boca del protagonista de *Cartas de amor de un sexagenario voluptuoso*, «no es sinóni-

---

[58] Delibes ha afirmado que su vocación literaria se despertó estudiando a Garrigues, pues «exponía las cosas con sobriedad, exactitud y belleza», para terminar subrayando: «Garrigues era un orteguiano y, a través de él, de su prosa me puse sin darme cuenta en contacto con Ortega.» Antonio Corral Castanedo, «Encuentro con Miguel Delibes», *Retrato de Miguel Delibes*. Barcelona, Círculo de Lectores, 1986; p. 70.

[59] *Conversaciones con Miguel Delibes*, Barcelona, Destino, 1993; p. 135.

[60] *El Imparcial* (17-IX-1906), en *Obras Completas*. Madrid, Alianza-Revista de Occidente, 1993; t. I, p. 56.

mo de primario o elemental sino al contrario de precisión y rigor».[61] Precisamente ese rigor le lleva a matizar con exactitud:

> Cuando yo escribo en mis libros aquel *cabezo*, aquel *cotarro* no significan la misma cosa. Esto es lo que saben los hombres del pueblo, pero no lo suelen saber los hombres de la ciudad. El cotarro, el teso, el cueto no son el cabezo. El cabezo es sencillamente el cueto; el cotarro, la colina que tiene una cresta de monte y monte de encina. Esto puede parecer preciosismo pero es exactitud».[62]

A la luz de estas palabras, la autenticidad del lenguaje rural de *El camino* es el referente constante del paisaje del valle, de la psicología de las gentes que lo pueblan, de las sensaciones y recuerdos que fluyen con exactitud en la evocación de Daniel, el Mochuelo. Se trata, pues, de un lenguaje que personaliza y humaniza el paisaje, que dota del nombre exacto a los elementos que lo forman.

La palabra justa, el adjetivo exacto, con que ese otro yo de Delibes, la memoria infantil de Daniel, el Mochuelo, evoca los recuerdos y sensaciones convierten la novela, ya desde las primeras páginas, en memoria sensorial, plástica, que surge siempre bajo el influjo de un sonido, de un aroma, de un olor y hace de ella un texto extraordinariamente convincente y auténtico:

> Con el murmullo de las conversaciones, ascendía del piso bajo el agrio olor de la cuajada y las esterillas sucias.

---

[61]   *Cartas de amor de un sexagenario voluptuoso*. Barcelona, Destino, 1983.

[62]   *Conversaciones con Miguel Delibes*, Barcelona, Destino, 1993; p. 135.

Le placía aquel olor a leche fermentada, y punzante y casi humano (cap. I).

La tierra exhalaba un agradable vaho a humedad y a excremento de vaca. También olía, con más o menos fuerza, la hierba según el estado del cielo o la frecuencia de las lluvias (cap. III).

Su padre emanaba un penetrante olor, era como un gigantesco queso, blando, blanco, pesadote. Pero Daniel, el Mochuelo, se gozaba en aquel olor que impregnaba a su padre y que le inundaba a él... (cap. IV).

También su madre hedía a boruga y a cuajada. Todo, en su casa, olía a cuajada y a requesón. Ellos mismos eran un puro y decantado olor. Su padre llevaba aquel tufo hasta en el negro de las uñas de las manos (cap. IV).

Éstos como otros tantos pasajes de la novela evidencian la plasticidad de la evocación, en ellos el recuerdo siempre va asociado no sólo a la imagen, sino a las sensaciones olfativas precisas: el olor de la tierra húmeda, de la hierba, las boñigas, el olor agrio de la cuajada «avivaban su nostalgia, ponían en su recuerdo una nota de palpitante realidad» (cap. IX), escribe Delibes.

Se podría decir que cada uno de los recuerdos, de las imágenes del valle, de su casa, de su familia, de la caza en el monte, del camposanto, donde reposa el Tiñoso, aparece asociado en la memoria de Daniel a una determinada sensación olfativa, que transporta al lector al mundo rural, donde las sensaciones son más auténticas o no están enmascaradas por los espejismos de la civilización.

Y como el discurso narrativo comienza al anochecer, cuando Daniel, el Mochuelo, se rebuye insomne en su cama envuelto en una «atmósfera densa, que se adentraba por la ventana abierta, hecha de aromas de heno recién segado y de resecas boñigas» y termina al amanecer del mismo día, con Daniel sin «pegar ojo», totalmente desasosegado, y con la sensación de desgarro profundo que le produce la inminente partida, la sensación inicial se repite cual sinfonía olfativa, en las palabras con que se abre el último capítulo de la novela:

> Daniel, el Mochuelo, recordaba con nostalgia su última noche en el valle. Dio media vuelta en la cama y de nuevo atisbó la cresta del Pico Rando iluminada por los primeros rayos del Sol. Se le estremecieron las aletillas de la nariz y al percibir una vaharada intensa a hierba húmeda y a boñiga (cap. XXI).

Esta reiteración en las sensaciones olfativas es un recurso más que coadyuva a la circularidad estructural, sinfónica y poética, en definitiva, de que hablaba en el apartado anterior.

La personificación y la comparación abundan en la evocación del valle, indudablemente, porque tal como dijimos, la percepción de la naturaleza no sólo es subjetiva, sino fruto de una compenetración simpática entre el personaje y el paisaje, tan evidentes en éste como en otros fragmentos de la novela:

> El valle... Aquel valle significaba mucho para Daniel, el Mochuelo. Bien mirado significaba todo para él. En el valle había nacido y, en once años, jamás franqueó la cadena de altas montañas que lo circuían. Ni experimentó la necesidad de hacerlo siquiera.
>
> A veces, Daniel, el Mochuelo, pensaba que su padre, y el cura y el maestro, tenían razón, que su valle era como una gran olla independiente, absolutamente aislada del exterior. Y, sin embargo, no era así; el valle tenía un cordón umbilical, un doble cordón umbilical, mejor dicho,

que le vitalizaba al mismo tiempo que le maleaba: la vía
férrea y la carretera. Ambas vías atravesaban el valle
de sur a norte, provenían de la parda y reseca llanura de
Castilla y buscaban la llanura azul del mar. Constituían,
pues, el enlace de dos inmensos mundos contrapuestos
(cap. III).

Igualmente precisa y gráfica es la descripción del pueblo con una técnica casi cinematográfica. Delibes, tras
detenerse en la descripción de los alrededores, «el senderillo de cabras que descendía la carretera», «la confluencia de ésta con el río», «la última curva junto a la casa del
quesero», «la estación», parte para reflejar la fisonomía
del pueblo de un plano general, como en la distancia:

> Era, el suyo, un pueblecito pequeño y retraído y vulgar.
> Las casas eran de piedra, con galerías abiertas y colgantes
> de madera, generalmente pintadas de azul (cap. III).

Pasa luego, en planos sucesivos, a la pintura detallada
de la topografía, las calles y la enumeración de edificios
característicos en estrecha relación con sus habitantes:

> La primera casa, a mano izquierda, era la botica.
> Anexas estaban las cuadras, las magníficas cuadras de
> don Ramón, el boticario-alcalde [...].
> Siguiendo varga arriba, se topaba uno con el palacio
> de don Antonino, el marqués, preservado por una alta
> tapia de piedra, lisa e inexpugnable; el tallercito del zapa-
> tero, el Ayuntamiento con un arcaico escudo en el frontis;
> la tienda de las Guindillas y su escaparate recompuesto y
> variado; la fonda, cuya famosa galería de cristales flan-
> queaba dos de las bandas del edificio; a la derecha de ésta,
> la plaza cubierta de boñigas y guijos y con una fuente

> pública, de dos caños, en el centro; cerrando la plaza, por
> el otro lado, estaba el edificio del Banco y, después, tres
> casas de vecinos con sendos jardincillos delante.
>
> Por la derecha, frente a la botica, se hallaba la finca de
> Gerardo, el Indiano, cuyos árboles producían los mejores
> frutos de la comarca; la cuadra de Pancho, el Sindiós,
> donde circunstancialmente estuvo instalado el cine; la ta-
> berna del Chano; la fragua de Paco, el herrero; las oficinas
> de Teléfonos...
>
> Trescientos metros más allá, varga abajo, estaba la
> iglesia, de piedra también, sin un estilo definido y con un
> campanario erguido y esbelto (cap. III).

Se trata de una geometría sentimental, de un paisaje
habitado, un tanto idílico al que —como en tantas otras
ocasiones— se le contrapone no sólo la estampa irónica
de alguno de sus moradores, sino la referencia obligada al
egoísmo e individualismo ancestral del campesino castellano: «¿Que el pueblo era ferozmente individualista y
que una corporación pública tuviera poco que hacer en
él, como decía don Ramón, el alcalde? ¿Que la Guindilla
mayor y Cuco, el factor, no eran discretos? Bien. En ningún cuerpo falta un lunar» (cap. III).

La plasticidad del lenguaje está, además, al servicio de
la caracterización de los personajes, seres únicos, irrepeti-
bles, individualizados a través del simbolismo de nombres
y apodos —probablemente herencia de Galdós—, que definen exactamente los trazos esenciales del carácter y la
prosografía de los mismos.

En el caso del nombre Daniel, el del profeta bíblico
que vencía a los leones con el magnetismo de su mirada,
el pueblo le añade el mote ligado a la naturaleza de «el
Mochuelo, por el color verde y la manera de mirar las
cosas "atento, concienzudo e insaciable"» (cap. IV), por-

que el pueblo —como señala irónicamente el narrador— «administraba el sacramento del bautismo con una pródiga y mordaz desconsideración» (cap. IV).

Una benévola ironía es ingrediente fundamental en el lenguaje sabroso y expresivo de la novela, singularmente en nombres y motes, formados a base de una especie de epíteto formulario que retrata —etopeya y prosografía— a los personajes con trazos a menudo caricaturescos, que, indudablemente, tiene mucho que ver con la temprana afición de Delibes por el dibujo y sus comienzos periodísticos como caricaturista en *El Norte de Castilla*.

Al nombre de todos los personajes de la novela se une indefectiblemente el mote o el epíteto, que alude de manera extraordinariamente gráfica y certera, tanto a las características físicas y psíquicas, tal como, por ejemplo, la Guindilla mayor, verdadero prodigio de ironía: «La Guindilla mayor, se tenía bien ganado el apodo por su carita redonda y colorada y por su carácter picante y agrio como el aguardiente. Por añadidura era una cotilla» (cap. IV).

Otro caso, realmente irónico y cómico, es el de don Moisés, el maestro, al que el juez del pueblo decidió llamarle Peón, aludiendo evidentemente a los movimientos sesgados de la pieza de ajedrez, en consonancia con la mueca más característica del rostro de dicho personaje:

> Don Moisés, el maestro, era un hombre alto, desmedrado y nervioso. Algo así como un esqueleto recubierto de piel. Habitualmente torcía media boca como si intentase morderse el lóbulo de la oreja. La molicie o el contento le hacían acentuar la mueca de tal manera que la boca se le rasgaba hasta la patilla, que se afeitaba muy abajo. Era una cosa rara aquel hombre, y a Daniel, el Mochuelo, le asustó y le interesó desde el primer día de

conocerle. Le llamaba Peón, como oía que le llamaban los demás chicos, sin saber por qué. El día que le explicaron que le bautizó el juez así en atención a que don Moisés «avanzaba de frente y comía de lado», Daniel, el Mochuelo, se dijo que «bueno», pero continuó sin entenderlo y llamándole Peón un poco a tontas y a locas (cap. IV).

Otras veces los motes o epítetos van ligados al personaje, además de por su rasgo esencial, por el oficio que desempeña: «Paco, el herrero, el hombre más fuerte del Valle»; «Andrés, el zapatero, el hombre que de perfil no se le ve»; «Pancho, el Sindiós»; «don José, el cura, que era un gran santo»; «Quino, el Manco»; «Antonio, el Buche»; «Salvador, el quesero»; «don Dimas, el del Banco»; «Rita, la tonta». O por otros motivos que tienen una especial relevancia en la vida del personaje, como el caso de «Gerardo, el Indiano». E incluso obedeciendo a un irónico juego de palabras, como las Lepóridas, las telefonistas, también conocidas por el sobrenombre de «Cacas» aludiendo a la sílaba inicial de sus nombres de pila: «Catalina, Carmen, Camila, Caridad y Casilda».

Más allá del mote, la caracterización de los personajes se completa con estructuras bimembres o trimembres de adjetivos, a las que a menudo se añaden comparaciones alusivas al mundo natural. Bastan algunos ejemplos sobradamente significativos: Ramón, el hijo del boticario era «emperejilado y tieso y pálido como una muchacha mórbida y presumida»; Paco, el herrero, con unos «antebrazos gruesos como troncos de árboles, cubiertos de un vello espeso y rojizo, erizados de músculos y nervios; «Germán, el Tiñoso, era un muchacho esmirriado, endeble y pálido». Y el retrato de la Mica, la hija del Indiano, que resume perfectamente lo que vengo apuntando:

[...] su voz, que parecía el suave y modulado acento de un jilguero. Su piel era tersa y tostada y sus ojos oscuros y sombreados por unas pestañas muy negras. Los brazos eran delgados y elásticos, y éstos y sus piernas, largas y esbeltas, ofrecían la tonalidad dorada de la pechuga del macho de perdiz. Al desplazarse, la ingravidez de sus movimientos producía la sensación de que podría volar y perderse en el espacio lo mismo que una pompa de jabón (cap. IX).

En el análisis del rigor semántico del lenguaje rural en *El camino* conviene mencionar algunos nombres relacionados directamente con la naturaleza, singularmente con los pájaros: «canarios, tordos, verderones, jilgueros, grillos, malvises, mirlos, cuclillos...», que tan bien conocía Germán, el Tiñoso, y que responden a la vocación naturista de Delibes:[63]

Germán, el Tiñoso, distinguía como nadie a las aves por la violencia o los espasmos del vuelo o por la manera de gorjear; adivinaba sus instintos; conocía, con detalle, sus costumbres; presentía la influencia de los cambios atmosféricos en ellas y se diría que, de haberlo deseado, hubiera aprendido a volar (cap. VI).

La exactitud de los nombres de los frutos: «zarzamoras, ráspanos, majuelas, moras, avellanas silvestres»; de las tareas, «pescando jaramugo», «bastaba arrojar a la poza una remanga»; los utensilios como las «encellas de

---

[63] *Vid*. también *Tres pájaros de cuenta,* Valladolid, ed. Miñón, 1982. Libro de narraciones infantiles, donde el autor evidencia un buen conocimiento ornitológico.

barro» del padre Daniel, el quesero, o la precisión topográfica: «el canto de los mirlos en los bardales», «el lamento chirriante e iterativo de una carreta de bueyes avanzando a trompicones por una cambera», «subir la varga camino del pueblo», «atravesar el puente por la acitara», entre otros.

Por último, la precisión del vocabulario de *El camino* responde a la voluntad del novelista de erigirse en notario de un mundo que agoniza lentamente pero de forma irreversible. El lenguaje rural, la larga serie de palabras relacionadas con la naturaleza y con las tareas y oficios característicos de los pueblos, poco a poco, con el despoblamiento de éstos han ido cayendo en desuso, en el olvido. Por ello, consecuente con sus ideas, Miguel Delibes afirmaba con escepticismo en el discurso de la Academia:

> Me temo que muchas de mis propias palabras, de las palabras que yo utilizo en mis novelas de ambiente rural, como por ejemplo aricar, agostero, escardar, celemín, soldada, helada negra, alcor, por no citar más que unas cuantas, van a necesitar muy pronto de notas aclaratorias como si estuviesen escritas en un idioma arcaico o esotérico, cuando simplemente han tratado de traslucir la vida de la Naturaleza y de los hombres que en ella viven y designan al paisaje, a los animales y a las plantas por sus nombres auténticos.

Para añadir con manifiesto desencanto:

> La destrucción de la Naturaleza no es solamente física, sino una destrucción de su significado para el hombre, una verdadera amputación espiritual y vital de éste. Al hombre, ciertamente, se le arrebata la pureza del aire y del agua, pero también se le amputa el lenguaje, y el pai-

saje en que transcurre su vida, lleno de referencias personales y de su comunidad, es convertido en un paisaje impersonalizado e insignificante.[64]

El manejo de un vocabulario rico, preciso, es consecuencia del conocimiento profundo y directo que Delibes tiene de la realidad rural castellana, y, sobre todo, de su empeño en erigirse en testigo de un mundo condenado a desaparecer por el abandono, la miseria, la despoblación y que, sin embargo, es el depositario de la tradición, de las raíces de cada uno, de la sabiduría natural en contraposición al saber aprendido. De ahí que Daniel, desde su inocencia, no entienda que, más allá de los límites del valle, hubiera algo importante que mereciera la pena aprender:

> ¿Podría existir algo en el mundo cuyo conocimiento exigiera catorce años de esfuerzo, tres más de los que ahora contaba Daniel? Seguramente, en la ciudad se pierde mucho el tiempo —pensaba el Mochuelo— y, a fin de cuentas, habrá quien, al cabo de catorce años de estudio, no acierta a distinguir un rendajo de un jilguero o una boñiga de un cagajón. La vida era así de rara, absurda y caprichosa. El caso era trabajar y afanarse en las cosas inútiles o poco prácticas (cap. I).

Porque el paisaje ha sido, en realidad, el gran maestro de Daniel, el Mochuelo. De él, de su comunión con aquel paisaje del valle, había aprendido todo lo que hasta entonces sabía y, en este sentido, resultan de nuevo pertinentes las palabras de Ortega cuando escribe que, por debajo del

---

[64]   Miguel Delibes, *El sentido del progreso desde mi obra, S.O.S.* Barcelona, Destino, 1975; pp. 77-78.

libre albedrío, subyace una solidaridad fatal del individuo con el paisaje: «Los paisajes me han creado la mitad mejor de mi alma, y si no hubiera perdido largos años viviendo en la hosquedad de las ciudades, sería a la hora de ahora más bueno y más profundo. Dime el paisaje en el que vives y te diré quién eres.»[65]

---

[65] «Pedagogía del paisaje», *El Imparcial* (17-IX-1906), en *Obras Completas.* Madrid, Alianza-Revista de Occidente, 1983; t. I, p. 55.

BIBLIOGRAFÍA

Estudios críticos sobre novela española

Buckley, Ramón, *Problemas formales en la novela española contemporánea* (1968). Barcelona, Península, 1973 (3.ª ed.).
Es uno de los primeros estudios sobre Delibes, por tanto abarca sólo hasta *Cinco horas con Mario*. Buckley traza con claridad e inteligencia la evolución de la obra de Delibes, situándolo en una tendencia intermedia, que llama «selectivismo», entre los extremos del objetivismo y subjetivismo que polarizan la novela española de ese período. El término «selectivismo» supone una selección de los materiales narrativos que permiten al autor sin dejar de ser omnisciente permanecer invisible en la obra.

Nora, Eugenio de, *La novela española contemporánea (1939-1967)*. T. III. Madrid, Gredos, 1973, 2.ª ed. ampliada.
Estudio de conjunto sobre la novela española de posguerra, del que interesa especialmente la 5.ª parte del capítulo II, dedicada a la producción de Miguel Delibes. El autor subraya la «metamorfosis artística» que experimenta la narrativa de Delibes con la publicación de *El camino* (pp. 113-115).

Sanz Villanueva, Santos, *Tendencias de la novela española actual*. Madrid, Edicusa, 1972.
Buen estudio y análisis de las distintas corrientes de la narra-

tiva española en los años cincuenta y sesenta. Numerosas referencias y comentarios a las obras de Delibes.

SOBEJANO, Gonzalo, *La novela española de nuestro tiempo*. Madrid, Prensa Española, Col. «El Soto», núm. 10, 1970.
Sigue siendo hoy el mejor trabajo de conjunto sobre la novela española de posguerra. Estructurado en torno a dos grandes ejes, la novela existencial: Cela, Laforet y Delibes, y la novela social: Sánchez Ferlosio, Fernández Santos y Juan Goytisolo, aunque también se revisa la producción de los restantes novelistas de la posguerra. Imprescindible para entender la evolución narrativa y las constantes temáticas e ideológicas de la obra de Delibes es el capítulo titulado «Miguel Delibes: la busca de la autenticidad», pp. 130-164. Todas las apreciaciones de Sobejano sobre *El camino* son valiosas y certeras.

SOBRE MIGUEL DELIBES Y *EL CAMINO*

ALONSO DE LOS RÍOS, César, *Conversaciones con Miguel Delibes*. Madrid, Magisterio Español, 1973. Reedición ampliada y actualizada por Destino, Barcelona, 1993.
Es el mejor en su género. Como su nombre indica, es fruto de dos largas entrevistas del autor con Delibes. La primera y más larga —se remonta al año 1971— aporta una serie de datos biográficos, comentarios e impresiones sobre cuestiones estéticas, generacionales, periodísticas y sociales. La segunda parte, mucho más breve, incluye apreciaciones sobre las últimas obras del autor, el panorama de la narrativa actual y cuestiones sociopolíticas. Este libro, mejor que cualquier otro, evidencia la fidelidad inquebrantable de Delibes a unos principios ético-estéticos. Extraordinariamente útil e indispensable para el conocimiento del autor. (Interesante también el soporte gráfico de abundantes fotografías del novelista.)

ALVAR, Manuel, *El mundo novelesco de Miguel Delibes*. Madrid, Gredos, 1987.
El estudio originariamente estaba destinado a servir de prólo-

go a una antología de la obra de Miguel Delibes, que finalmente no se publicó, y de ahí deriva cierta falta de unidad. Sin embargo, además del excelente capítulo dedicado al estudio del lenguaje, interesa, sobre todo, «Cuestiones de técnica novelesca: los caminos hacia el monólogo interior», que evidencia cómo algunos de los procedimientos narrativos, presentes en las primeras novelas de Delibes, preparaban el camino de *Cinco horas con Mario*.

BUTLER, Isabel, «Relación hombre-naturaleza: su expresión en la obra de dos novelistas contemporáneos: E. M. Foster y Miguel Delibes». *Cuadernos Hispanoamericanos*, núm. 300, 1975; pp. 572-597.
Estudio comparativo entre Foster y Delibes. La autora señala las coincidencias de actitud ante la naturaleza entre ambos novelistas, a la vez que valora las diferentes funciones que ésta cumple en las novelas, así como el simbolismo que aporta al desarrollo de tesis y caracteres.

CORRAL CASTANEDO, Antonio, *Retrato de Miguel Delibes*. Barcelona, Círculo de Lectores, 1986.
Es claramente un libro de homenaje con magníficas fotografías del autor. Consta de dos partes: la primera, «Delibes castellano de Valladolid», es una extensa semblanza biográfica contextualizada a través de retazos de noticias de *El Norte de Castilla* y con la apoyatura de citas de las obras del autor, en las que se subraya lo que César Alonso llamó «escritor con territorio». La segunda parte es una larga entrevista sobre las novelas, las adaptaciones cinematográficas y teatrales de las mismas. Quizá en este último aspecto añade algunas novedades, así como en el apéndice final, que recoge el testimonio del editor y diversos críticos de la obra delibesiana: Vergés, Vilanova, Julián Marías, Conte, A. Tovar, Sanz Villanueva, Umbral, Alonso de los Ríos, etc.

GARCÍA DOMÍNGUEZ, Ramón, *Miguel Delibes: un hombre, un paisaje, una pasión*. Barcelona, Destino, 1985 (Col. Destinolibro).
Una parte de este libro se publicó en 1982, como primer cuadernillo de la serie «Vallisoletanos», editado por la Caja de

Ahorros Popular de Valladolid. El autor, periodista y vallisoletano como Miguel Delibes, traza una cálida semblanza del hombre
y el novelista con la apoyatura de retazos de conversaciones
mantenidas con él. Incluye amplias referencias bibliográficas
en pp. 85-100.

PAUK, Edgar, *Miguel Delibes: Desarrollo de un escritor (1947-1974)*.
Madrid, Gredos, 1975.
Análisis de las constantes temáticas: Dios, la muerte, la naturaleza, el calor humano y la justicia social en las novelas de
Delibes hasta *Parábola del náufrago*. En los capítulos finales
aborda, sin demasiada profundidad, algunas cuestiones técnicas, así como el humor y la ironía. Contiene una amplia biblio-
grafía en pp. 317-325.

REY, Alfonso, *La originalidad novelística de Delibes*. Universidad
de Santiago de Compostela, 1975.
Análisis inteligente que abarca el estudio de las principales
cuestiones estructurales, lingüísticas y estilísticas en la producción narrativa de Delibes desde *La sombra del ciprés es alargada* hasta *Parábola del náufrago*.

SÁNCHEZ, José Francisco, *Miguel Delibes, periodista*. Barcelona,
Destino, 1989 (Còl. Destinolibro, 290).
Interesante estudio cronológico (1940-1977) de un aspecto
inédito hasta la aparición de este libro, la tarea periodística de
Delibes en *El Norte de Castilla*. Con un buen aporte de textos,
documentos y artículos que ayudan a dibujar el panorama de
la prensa de provincias en los años difíciles del franquismo.

VILLANUEVA, Darío, «Miguel Delibes: de *El camino* (1950) a *Cinco
horas con Mario* (1966)», en *Estructura y tiempo reducido en la
novela*, Barcelona, Anthropos, 1994; pp. 294-307.
Excelente estudio dedicado a analizar la función del tiempo y su
estrecha relación con el punto de vista narrativo en la estructura de
ambas novelas, calificadas, siguiendo la terminología de Genette,
como *analépticas*, en la medida en que desde el presente se revive,
se recupera y se juzga el pasado tanto intimista como colectivo.

V.V. A.A., *El autor y su obra: Miguel Delibes. Actas de El Escorial*. Universidad Complutense de Madrid, Cursos de verano, 1991. De este libro que contiene excelentes trabajos sólo se citan los que interesan para el estudio de *El camino*. Alfonso Rey, «Traducción y originalidad de Miguel Delibes», viene a ser una prolongación de las tesis sostenidas en el libro antes citado del mismo autor. Gonzalo Sobejano, «Del relato a la novela», resalta el valor germinal de algunos cuentos con respecto a las novelas del autor. Antonio Vilanova, «Inocencia natural y conciencia moral en la obra de Delibes».

V.V. A.A., *Miguel Delibes. El escritor, la obra y el lector. Actas del V Congreso de Literatura Española contemporánea*. Universidad de Málaga. Barcelona, Anthropos, 1992. Interesan los siguientes trabajos: Santos Sanz Villanueva, «Hora actual de Miguel Delibes», por la visión de conjunto que, aunque rápida, es prácticamente la única que abarca toda su producción hasta la actualidad; Gregorio Torres Nebrera, «*Arcadia amenazada*: modulaciones sobre un tema en la narrativa de Miguel Delibes», por la relación entre naturaleza y progreso con referencias a *El camino*, entre otras obras más recientes; Purificación Sánchez Arévalo, «El léxico y la evolución estilística de Miguel Delibes en su narrativa»; Ignacio Elizalde, «La actitud de Miguel Delibes ante la realidad». En todos ellos aparecen algunas referencias o puntualizaciones sobre diversos aspectos de *El camino*.

—, *Miguel Delibes. Premio Letras Españolas 1991*. Madrid, Ministerio de Cultura, 1993. De este precioso y cuidadísimo libro de homenaje a Delibes, que recoge las conferencias y mesas redondas celebradas en Madrid, en mayo de 1991, interesa: Francisco Umbral, «Drama rural, crónica urbana» (pp. 63-74); César Alonso de los Ríos, «Delibes: Periodismo y testimonio» (74-95); Manuel Alvar, *Castilla habla* (157-189). Así como la reproducción de las intervenciones en las mesas redondas «El narrador y los narradores» (pp. 207-225) y «La infancia, una constante en la narrativa delibiana» (pp. 225-243).

Cano, José Luis, «*El camino:* Miguel Delibes», *Ínsula* (15-III-1951).
Breve noticia de la publicación de *El camino*, subrayando la
impresión de vida y el cambio de ambiente que supuso *El camino* frente a las dos novelas anteriores de ambientaciones
urbanas, *La sombra del ciprés es alargada* y *Aún es de día*.

Laforet, Carmen, «Leyendo *El camino*», *Destino* (27-I-1951); p. 9.

—, «La libertad de leer», *Informaciones* (30-I-1951).
Con la brevedad que caracteriza las reseñas en prensa, Carmen
Laforet elogia la novela de Delibes en el primer caso señalando
ciertas semejanzas con el neorrealismo italiano y, en el segundo, resaltando la fuerza y la belleza del relato.

Vilanova, Antonio, «*El camino* de Miguel Delibes», *Destino* (10-II-1951); pág. 15.
El profesor Vilanova en su columna habitual de crítica literaria, «El espíritu de la letra», fue el primero en acuñar el término "realismo poético" para *El camino* de Delibes, así como en
señalar aspectos esenciales de la técnica literaria. Es indudablemente la mejor de las reseñas críticas que recibió la novela
en los meses inmediatos a su publicación.

EL CAMINO

I

Las cosas podían haber sucedido de cualquier otra manera y, sin embargo, sucedieron así. Daniel, el Mochuelo, desde el fondo de sus once años, lamentaba el curso de los acontecimientos, aunque lo acatara como una realidad inevitable y fatal. Después de todo, que su padre aspirara a hacer de él algo más que un quesero era un hecho que honraba a su padre. Pero por lo que a él afectaba...

Su padre entendía que esto era progresar; Daniel, el Mochuelo, no lo sabía exactamente. El que él estudiase el bachillerato en la ciudad podía ser, a la larga, efectivamente, un progreso. Ramón, el hijo del boticario, estudiaba ya para abogado en la ciudad y cuando les visitaba, durante las vacaciones, venía empingorotado como un pavo real y les miraba a todos por encima del hombro; incluso al salir de misa los domingos y fiestas de guardar, se permitía corregir las palabras que don José, el cura, que era un gran santo, pronunciara desde el púlpito. Si esto era progresar, el marcharse a la ciudad a iniciar el bachillerato constituía, sin duda, la base de este progreso.

Pero a Daniel, el Mochuelo, le bullían muchas dudas en la cabeza a este respecto. Él creía saber cuanto puede

79

saber un hombre. Leía de corrido, escribía para entenderse y conocía y sabía aplicar las cuatro reglas. Bien mirado, pocas cosas más cabían en un cerebro normalmente desarrollado. No obstante, en la ciudad, los estudios de bachillerato constaban, según decían, de siete años y, después, los estudios superiores, en la universidad, de otros tantos años, por lo menos. ¿Podía existir algo en el mundo cuyo conocimiento exigiera catorce años de esfuerzo, tres más de los que ahora contaba Daniel? Seguramente, en la ciudad se pierde mucho el tiempo —pensaba el Mochuelo— y, a fin de cuentas, habrá quien, al cabo de catorce años de estudio, no acierte a distinguir un rendajo de un jilguero o una boñiga de un cagajón. La vida era así de rara, absurda y caprichosa. El caso era trabajar y afanarse en las cosas inútiles o poco prácticas.

Daniel, el Mochuelo, se revolvió en el lecho y los muelles de su camastro de hierro chirriaron desapaciblemente. Que él recordase, era ésta la primera vez que no se dormía tan pronto caía en la cama. Pero esta noche tenía muchas cosas en que pensar. Mañana, tal vez, no fuese ya tiempo. Por la mañana, a las nueve en punto, tomaría el rápido ascendente y se despediría del pueblo hasta las Navidades. Tres meses encerrado en un colegio. A Daniel, el Mochuelo, le pareció que le faltaba aire y respiró con ansia dos o tres veces. Presintió la escena de la partida y pensó que no sabría contener las lágrimas, por más que su amigo Roque, el Moñigo, le dijese que un hombre bien hombre no debe llorar ni ante la muerte del padre. Y el Moñigo tampoco era cualquier cosa, aunque contase dos años más que él y aún no hubiera empezado el bachillerato. Ni lo empezaría nunca, tampoco. Paco, el herrero, no aspiraba a que su hijo progresase; se conformaba con que fuera herrero como él y tuviese suficiente habilidad para someter el hierro a su capricho. ¡Ése sí que era

80

un oficio bonito! Y para ser herrero no hacía falta estudiar catorce años, ni trece, ni doce, ni diez, ni nueve, ni ninguno. Y se podía ser un hombre membrudo y gigantesco, como lo era el padre del Moñigo.

Daniel, el Mochuelo, no se cansaba nunca de ver a Paco, el herrero, dominando el hierro en la fragua. Le embelesaban aquellos antebrazos gruesos como troncos de árboles, cubiertos de un vello espeso y rojizo, erizados de músculos y de nervios. Seguramente Paco, el herrero, levantaría la cómoda de su habitación con uno solo de sus imponentes brazos y sin resentirse. Y de su tórax, ¿qué? Con frecuencia el herrero trabajaba en camiseta y su pecho hercúleo subía y bajaba, al respirar, como si fuera el de un elefante herido. Esto era un hombre. Y no Ramón, el hijo del boticario, emperejilado y tieso y pálido como una muchacha mórbida y presumida. Si esto era progreso, él, decididamente, no quería progresar. Por su parte, se conformaba con tener una pareja de vacas, una pequeña quesería y el insignificante huerto de la trasera de su casa. No pedía más. Los días laborables fabricaría quesos, como su padre, y los domingos se entretendría con la escopeta, o se iría al río a pescar truchas o a echar una partida al corro de bolos.

La idea de la marcha desazonaba a Daniel, el Mochuelo. Por la grieta del suelo se filtraba la luz de la planta baja y el haz luminoso se posaba en el techo con una fijeza obsesiva. Habrían de pasar tres meses sin ver aquel hilo fosforescente y sin oír los movimientos quedos de su madre en las faenas domésticas; o los gruñidos ásperos y secos de su padre, siempre malhumorado; o sin respirar aquella atmósfera densa, que se adentraba ahora por la ventana abierta, hecha de aromas de heno recién segado y de resecas boñigas. ¡Dios mío, qué largos eran tres meses!

Pudo haberse rebelado contra la idea de la marcha, pero ahora era ya tarde. Su madre lloriqueaba unas horas antes al hacer, junto a él, el inventario de sus ropas.

—Mira, Danielín, hijo, éstas son las sábanas tuyas. Van marcadas con tus iniciales. Y éstas tus camisetas. Y éstos tus calzoncillos. Y tus calcetines. Todo va marcado con tus letras. En el colegio seréis muchos chicos y de otro modo es posible que se extraviaran.

Daniel, el Mochuelo, notaba en la garganta un volumen inusitado, como si se tratara de un cuerpo extraño. Su madre se pasó el envés de la mano por la punta de la nariz remangada y sorbió una moquita. «El momento debe de ser muy especial cuando la madre hace eso que otras veces me prohíbe hacer a mí», pensó el Mochuelo. Y sintió unos sinceros y apremiantes deseos de llorar.

La madre prosiguió:

—Cuídate y cuida la ropa, hijo. Bien sabes lo que a tu padre le ha costado todo esto. Somos pobres. Pero tu padre quiere que seas algo en la vida. No quiere que trabajes y padezcas como él. Tú —le miró un momento como enajenada— puedes ser algo grande, algo muy grande en la vida, Danielín; tu padre y yo hemos querido que por nosotros no quede.

Volvió a sorber la moquita y quedó en silencio. El Mochuelo se repitió: «Algo muy grande en la vida, Danielín», y movió convulsivamente la cabeza. No acertaba a comprender cómo podría llegar a ser algo muy grande en la vida. Y se esforzaba, tesoneramente, en comprenderlo. Para él, algo muy grande era Paco, el herrero, con su tórax inabarcable, con sus espaldas macizas y su pelo híspido y rojo; con su aspecto salvaje y duro de dios primitivo. Y algo grande era también su padre, que tres veranos atrás abatió un milano de dos metros de envergadura... Pero su madre no se refería a esta clase de grandeza cuan-

82

do le hablaba. Quizá su madre deseaba una grandeza al estilo de la de don Moisés, el maestro, o tal vez como la de don Ramón, el boticario, a quien hacía unos meses habían hecho alcalde. Seguramente a algo de esto aspiraban sus padres para él. Mas, a Daniel, el Mochuelo, no le fascinaban estas grandezas. En todo caso, prefería no ser grande, ni progresar.

Dio vuelta en el lecho y se colocó boca abajo, tratando de amortiguar la sensación de ansiedad que desde hacía un rato le mordía en el estómago. Así se hallaba mejor; dominaba, en cierto modo, su desazón. De todas formas, boca arriba o boca abajo, resultaba inevitable que a las nueve de la mañana tomase el rápido para la ciudad. Y adiós todo, entonces. Si es caso... Pero ya era tarde. Hacía muchos años que su padre acariciaba aquel proyecto y él no podía arriesgarse a destruirlo todo en un momento, de un caprichoso papirotazo. Lo que su padre no logró haber sido, quería ahora serlo en él. Cuestión de capricho. Los mayores tenían, a veces, caprichos más tozudos y absurdos que los de los niños. Ocurría que a Daniel, el Mochuelo, le había agradado, meses atrás, la idea de cambiar de vida. Y sin embargo, ahora, esta idea le atormentaba.

Hacía casi seis años que conoció las aspiraciones de su padre respecto a él. Don José, el cura, que era un gran santo, decía, a menudo, que era un pecado sorprender las conversaciones de los demás. No obstante, Daniel, el Mochuelo, escuchaba con frecuencia las conversaciones de sus padres en la planta baja, durante la noche, cuando él se acostaba. Por la grieta del entarimado divisaba el hogar, la mesa de pino, las banquetas, el entremijo y todos los útiles de la quesería. Daniel, el Mochuelo, agazapado contra el suelo, espiaba las conversaciones desde allí. Era en él una costumbre. Con el murmullo de las conversaciones, ascendía del piso bajo el agrio olor de la cuajada y las esterillas sucias. Le placía aquel olor a leche fermentada, punzante y casi humano.

Su padre se recostaba en el entremijo aquella noche, mientras su madre recogía los restos de la cena. Hacía ya casi seis años que Daniel, el Mochuelo, sorprendiera esta escena, pero estaba tan sólidamente vinculada a su vida que la recordaba ahora con todos los pormenores.

—No, el chico será otra cosa. No lo dudes —decía su padre—. No pasará la vida amarrado a este banco como un esclavo. Bueno, como un esclavo y como yo.

Y, al decir esto, soltó una palabrota y golpeó en el entremijo con el puño crispado. Aparentaba estar enfadado con alguien, aunque Daniel, el Mochuelo, no acertaba a discernir con quién. Entonces Daniel no sabía que los hombres se enfurecen a veces con la vida y contra un orden de cosas que consideran irritante y desigual. A Daniel, el Mochuelo, le gustaba ver airado a su padre porque sus ojos echaban chiribitas y los músculos del rostro se le endurecían y, entonces, detentaba una cierta similitud con Paco, el herrero.

—Pero no podemos separarnos de él —dijo la madre—. Es nuestro único hijo. Si siquiera tuviéramos una niña. Pero mi vientre está seco, tú lo sabes. No podremos tener una hija ya. Don Ricardo dijo, la última vez, que he quedado estéril después del aborto.

Su padre juró otra vez, entre dientes. Luego, sin moverse de su postura, añadió:

—Déjalo; eso ya no tiene remedio. No escarbes en las cosas que ya no tienen remedio.

La madre gimoteó, mientras recogía en un bote oxidado las migas de pan abandonadas encima de la mesa. Aún insistió débilmente:

—A lo mejor el chico no vale para estudiar. Todo esto

es prematuro. Y un chico en la ciudad es muy costoso. Eso puede hacerlo Ramón, el boticario, o el señor juez. Nosotros no podemos hacerlo.

Su padre empezó a dar vueltas nerviosas a una adobadera entre las manos. Daniel, el Mochuelo, comprendió que su padre se dominaba para no exacerbar el dolor de su mujer. Al cabo de un rato añadió:

—Eso quédalo de mi cuenta. En cuanto a si el chico vale o no vale para estudiar depende de si tiene cuartos o si no los tiene. Tú me comprendes.

Se puso en pie y con el gancho de la lumbre desparramó las ascuas que aún relucían en el hogar. Su madre se había sentado, con las bastas manos desmayadas en el regazo. Repentinamente se sentía extenuada y nula, absurdamente vacua e indefensa. El padre se dirigía de nuevo a ella:

—Es cosa decidida. No me hagas hablar más de esto. En cuanto el chico cumpla once años marchará a la ciudad a empezar el grado.

La madre suspiró, rendida. No dijo nada. Daniel, el Mochuelo, se acostó y se durmió haciendo conjeturas sobre lo que querría decir su madre con aquello de que tenía el vientre seco y que se había quedado estéril después del aborto.

II

Ahora, Daniel, el Mochuelo, ya sabía lo que era tener el vientre seco y lo que era un aborto. Pensó en Roque, el Moñigo. Quizá si no hubiera conocido a Roque, el Moñigo, seguiría, a estas alturas, sin saber lo que era un vientre seco y lo que era un aborto. Pero Roque, el Moñigo, sabía mucho de todo «eso». Su madre le decía que no se juntase con Roque, porque el Moñigo se había criado sin madre y sabía muchas perrerías. También las Guindillas le decían a menudo que por juntarse al Moñigo ya era lo mismo que él, un golfo y un zascandil.

Daniel, el Mochuelo, siempre salía en defensa de Roque, el Moñigo. La gente del pueblo no le comprendía o no quería comprenderle. Que Roque supiera mucho de «eso» no significaba que fuera un golfo y un zascandil. El que fuese fuerte como un toro y como su padre, el herrero, no quería decir que fuera un malvado. El que su padre, el herrero, tuviese siempre junto a la fragua una bota de vino y la levantase de cuando en cuando no equivalía a que fuese un borracho empedernido, ni podía afirmarse, en buena ley, que Roque, el Moñigo, fuese un golfante como su padre, porque ya se sabía que de tal palo tal astilla. Todo esto constituía una sarta de infamias, y Daniel, el Mochuelo, lo sabía de sobra porque conocía como nadie al Moñigo y a su padre.

De que la mujer de Paco, el herrero, falleciera al dar a luz al Moñigo, nadie tenía la culpa. Ni tampoco tenía la culpa nadie de la falta de capacidad educadora de su hermana Sara, demasiado brusca y rectilínea para ser mujer.

La Sara llevó el peso de la casa desde la muerte de su madre. Tenía el pelo rojo e híspido y era corpulenta y maciza como el padre y el hermano. A veces, Daniel, el Mochuelo, imaginaba que el fin de la madre de Roque, el Moñigo, sobrevino por no tener aquélla el pelo rojo. El pelo rojo podía ser, en efecto, un motivo de longevidad o, por lo menos, una especie de amuleto protector. Fuera por una causa o por otra, lo cierto es que la madre del Moñigo falleció al nacer él y que su hermana Sara, trece años mayor, le trató desde entonces como si fuera un asesino sin enmienda. Claro que la Sara tenía poca paciencia y un carácter regañón y puntilloso. Daniel, el Mochuelo, la había conocido corriendo tras de su hermano escalera abajo, desmelenada y torva, gritando desaforadamente:

—¡Animal, más que animal, que ya antes de nacer eras un animal!

Luego le oyó repetir este estribillo centenares y hasta millares de veces; pero a Roque, el Moñigo, le traía aquello sin cuidado. Seguramente lo que más exacerbó y agrió el carácter de la Sara fue el rotundo fracaso de su sistema educativo. Desde muy niño, el Moñigo fue refractario al Coco, al Hombre del Saco y al Tío Camuñas. Sin duda fue su solidez física la que le inspiró este olímpico desprecio hacia todo lo que no fueran hombres reales, con huesos, músculos y sangre bajo la piel. Lo cierto es que cuando la Sara amenazaba a su hermano, diciéndole: «Que viene el Coco, Roque, no hagas tal cosa», el Moñigo sonreía maliciosamente, como desafiándole: «Hale, que venga, lo aguardo.» Entonces el Moñigo apenas tenía tres años y aún no hablaba nada. A la Sara la llevaban los demonios al constatar el choque inútil de su amenaza con la indiferencia burlona del pequeñuelo.

Poco a poco, el Moñigo fue creciendo y su hermana Sara apeló a otros procedimientos. Solía encerrar a Roque en el pajar si cometía una travesura y luego le leía, desde fuera, lentamente y con voz sombría y cavernosa, las recomendaciones del alma.

Daniel, el Mochuelo, aún recordaba una de las primeras visitas a casa de su amigo. La puerta de la calle estaba entreabierta y, en el interior, no se veía a nadie ni se oía nada, como si la casa estuviera deshabitada. La escalera que conducía al piso alto se alzaba incitante ante él, pero él la miró, tocó el pasamano y no se atrevió a subir. Conocía ya a la Sara de referencias y aquel increíble silencio le inspiraba un vago temor. Se entretuvo un rato atrapando una lagartija que intentaba escabullirse por entre las losas del zaguán. De improviso oyó una retahíla de furiosos improperios, en lo alto, seguidos de un estruendoso portazo. Se decidió a llamar, un poco cohibido:

—¡Moñigo! ¡Moñigo!

Al instante se derramó sobre él un diluvio de frases agresivas. Daniel se encogió sobre sí mismo.

—¿Quién es el bruto que llama así? ¡Aquí no hay ningún Moñigo! Todos en esta casa llevamos nombre de santo. ¡Hale, largo!

Daniel, el Mochuelo, nunca supo por qué en aquella ocasión se quedó, a pesar de todo, clavado al suelo como si fuera una estatua. El caso es que se quedó tieso y mudo, casi sin respirar. Entonces oyó hablar arriba a la Sara y prestó atención. Por el hueco de la escalera se desgranaban sus frases engoladas como una lluvia lúgubre y sombría:

—Cuando mis pies, perdiendo su movimiento, me adviertan que mi carrera en este mundo está próxima a su fin...

Y, detrás, sonaba la voz del Moñigo, opaca y sorda, como si partiera de lo hondo de un pozo:

—Jesús misericordioso, tened compasión de mí.

De nuevo las inflexiones de Sara, cada vez más huecas y extremosas:

—Cuando mis ojos vidriados y desencajados por el horror de la inminente muerte fijen en Vos sus miradas lánguidas y moribundas...

—Jesús misericordioso, tened compasión de mí.

Se iba adueñando de Daniel, el Mochuelo, un pavor helado e impalpable. Aquella tétrica letanía le hacía cosquillas en la médula de los huesos. Sin embargo, no se movió del sitio. Le acuciaba una difusa e impersonal curiosidad.

—Cuando perdido el uso de los sentidos —continuaba, monótona, la Sara— el mundo todo desaparezca de mi vista y gima yo entre las angustias de la última agonía y los afanes de la muerte...

Otra vez la voz amodorrada y sorda y tranquila del Moñigo, desde el pajar:

—Jesús misericordioso, tened compasión de mí.

Al concluir Sara su correctivo verbal, se hizo impaciente la voz de Roque:

—¿Has terminado?

—Sí —dijo Sara.

—Hale, abre.

La interrogación siguiente de la Sara envolvía un despecho mal reprimido:

—¿Escarmentaste?

—¡No!

—Entonces no abro.

—Abre o echo la puerta abajo. El castigo ya se terminó.

Y Sara le abrió a su pesar. El Moñigo le dijo al pasar a su lado:

—Me metiste menos miedo que otros días, Sara.

La hermana perdía los estribos, furiosa:

—¡Calla, cerdo! Un día... un día te voy a partir los hocicos o yo no sé lo que te voy a hacer.

—Eso no; no me toques, Sara. Aún no ha nacido quien me ponga la mano encima, ya lo sabes —dijo el Moñigo.

Daniel, el Mochuelo, esperó oír el estampido del sopapo, pero la Sara debió de pensarlo mejor y el estampido previsto no se produjo. Oyó Daniel, en cambio, las pisadas firmes de su amigo al descender los peldaños y, acuciado por un pudoroso instinto de discreción, salió por la puerta entornada y le esperó en la calle. Ya a su lado, el Moñigo dijo:

—¿Oíste a la Sara?

Daniel, el Mochuelo, no se atrevió a mentir:

—La oí —dijo.

—Te habrás fijado que es una maldita pamplinera.

—A mí me metió miedo, la verdad —confesó, aturdido, el Mochuelo.

—¡Bah!, no hagas caso. Todo eso de los ojos vidriados y los pies que no se mueven son pamplinas. Mi padre dice que cuando la diñas no te enteras de nada.

Movió el Mochuelo, dubitativo, la cabeza.

—¿Cómo lo sabe tu padre? —dijo.

A Roque, el Moñigo, no se le había ocurrido pensar en eso. Vaciló un momento, pero enseguida aclaró:

—¡Qué sé yo! Se lo diría mi madre al morirse. Yo no me puedo acordar de eso.

Desde aquel día, Daniel, el Mochuelo, situó mentalmente al Moñigo en un altar de admiración. El Moñigo

90

no era listo, pero, ¡ahí era nada mantenérselas tiesas con los mayores! Roque, a ratos, parecía un hombre por su aplomo y gravedad. No admitía imposiciones ni tampoco una justicia cambiante y caprichosa. Una justicia doméstica, se sobreentiende. Por su parte, la hermana lo respetaba. La voluntad del Moñigo no era un cero a la izquierda como la suya; valía por la voluntad de un hombre; se la tenía en cuenta en su casa y en la calle. El Moñigo poseía personalidad.

Y, a medida que transcurría el tiempo, fue aumentando la admiración de Daniel por el Moñigo. Éste se peleaba con frecuencia con los rapaces del valle y siempre salía victorioso y sin un rasguño. Una tarde, en una romería, Daniel vio al Moñigo apalear hasta hartarse al que tocaba el tamboril. Cuando se sació de golpearle le metió el tambor por la cabeza como si fuera un sombrero. La gente se reía mucho. El músico era un hombre ya de casi veinte años y el Moñigo sólo tenía once. Para entonces, el Mochuelo había comprendido que Roque era un buen árbol donde arrimarse y se hicieron inseparables, por más que la amistad del Moñigo le forzaba, a veces, a extremar su osadía e implicaba algún que otro regletazo de don Moisés, el maestro. Pero, en compensación, el Moñigo le había servido en más de una ocasión de escudo y paragolpes.

A pesar de todo esto, la madre de Daniel, don José, el cura, don Moisés, el maestro, la Guindilla mayor y las Lepóridas, no tenían motivos para afirmar que Roque, el Moñigo, fuese un golfante y un zascandil. Si el Moñigo entablaba pelea era siempre por una causa justa o porque procuraba la consecución de algún fin utilitario y práctico. Jamás lo hizo a humo de pajas o por el placer de golpear.

Y otro tanto ocurría con su padre, el herrero. Paco, el herrero, trabajaba como el que más y ganaba bastante dinero. Claro que para la Guindilla mayor y las Lepóri-

91

das no existían más que dos extremos en el pueblo: los que ganaban poco dinero, y de éstos decían que eran unos vagos y unos holgazanes, y los que ganaban mucho dinero, de los cuales afirmaban que si trabajaban era sólo para gastarse el dinero en vino. Las Lepóridas y la Guindilla mayor exigían un punto de equilibrio muy raro y difícil de conseguir. Pero la verdad es que Paco, el herrero, bebía por necesidad. Daniel, el Mochuelo, lo sabía de fundamento, porque conocía a Paco mejor que nadie. Y si no bebía, la fragua no carburaba. Paco, el herrero, lo decía muchas veces: «Tampoco los autos andan sin gasolina.» Y se echaba un trago al coleto. Después del trago trabajaba con mayor ahínco y tesón. Esto, pues, a fin de cuentas, redundaba en beneficio del pueblo. Mas el pueblo no se lo agradecía y le llamaba sinvergüenza y borracho. Menos mal que el herrero tenía correa, como su hijo, y aquellos insultos no le lastimaban. Daniel, el Mochuelo, pensaba que el día que Paco, el herrero, se irritase no quedaría en el pueblo piedra sobre piedra; lo arrasaría todo como un ciclón.

No era tampoco cosa de echar en cara al herrero el que piropease a las mozas que cruzaban ante la fragua y las invitase a sentarse un rato con él a charlar y a echar un trago. En realidad, era viudo y estaba aún en edad de merecer. Además, su exuberancia física era un buen incentivo para las mujeres. A fin de cuentas, don Antonino, el marqués, se había casado tres veces y no por ello la gente dejaba de llamarle don Antonino y seguía quitándose la boina al cruzarse con él, para saludarle. Y continuaba siendo el marqués. Después de todo, si Paco, el herrero, no se casaba lo hacía por no dar madrastra a sus hijos y no por tener más dinero disponible para vino como malévolamente insinuaban la Guindilla mayor y las Lepóridas.

Los domingos y días festivos, Paco, el herrero, se emborrachaba en casa del Chano hasta la incoherencia. Al menos eso decían la Guindilla mayor y las Lepóridas. Mas si lo hacía así, sus razones tendría el herrero, y una de ellas, y no desdeñable, era la de olvidarse de los últimos seis días de trabajo y de la inminencia de otros seis en los que tampoco descansaría. La vida era así de exigente y despiadada con los hombres.

A veces, Paco, cuyo temperamento se exaltaba con el alcohol, armaba en la taberna del Chano trifulcas considerables. Eso sí, jamás tiraba de navaja aunque sus adversarios lo hicieran. A pesar de ello, las Lepóridas y la Guindilla mayor decían de él —de él, que peleaba siempre a pecho descubierto y con la mayor nobleza concebible— que era un asqueroso matón. En realidad, lo que mortificaba a la Guindilla mayor, a las Lepóridas, al maestro, al ama de don Antonino, a la madre de Daniel, el Mochuelo, y a don José, el cura, eran los músculos abultados del herrero; su personalidad irreductible; su hegemonía física. Si Paco y su hijo hubieran sido unos fifiriches al pueblo no le importaría que fuesen borrachos o camorristas; en cualquier momento podrían tumbarles de un sopapo. Ante aquella inaudita corpulencia, la cosa cambiaba; habían de conformarse con ponerlos verdes por la espalda. Bien decía Andrés, el zapatero: «Cuando a las gentes les faltan músculos en los brazos, les sobran en la lengua.»

Don José, el cura, que era un gran santo, a pesar de censurar abiertamente a Paco, el herrero, sus excesos, sentía hacia él una secreta simpatía. Por mucho que tronase no podría olvidar nunca el día de la Virgen, aquel año en que Tomás se puso muy enfermo y no pudo llevar las andas de la imagen. Julián, otro de los habituales portadores de las andas, tuvo que salir del lugar en viaje ur-

93

gente. La cosa se ponía fea. No surgían sustitutos. Don José, el cura, pensó, incluso, en suspender la procesión. Fue entonces cuando se presentó, humildemente, en la iglesia Paco, el herrero.

—Señor cura, si usted quiere, yo puedo pasear la Virgen por el pueblo. Pero ha de ser a condición de que me dejen a mí solo —dijo.

Don José sonrió maliciosamente al herrero.

—Hijo, agradezco tu voluntad y no dudo de tus fuerzas. Pero la imagen pesa más de doscientos kilos —dijo.

Paco, el herrero, bajó los ojos, un poco avergonzado de su enorme fortaleza.

—Podría llevar encima cien kilos más, señor cura. No sería la primera vez... —insistió.

Y la Virgen recorrió el pueblo sobre los fornidos hombros de Paco, el herrero, a paso lento y haciendo cuatro paradas: en la plaza, ante el Ayuntamiento, frente a Teléfonos y, de regreso, en el atrio de la iglesia, donde se entonó, como era costumbre, una Salve popular. Al concluir la procesión, los chiquillos rodearon admirados a Paco, el herrero. Y éste, esbozando una sonrisa pueril, les obligaba a palparle la camisa en el pecho, en la espalda, en los sobacos.

—Tentad, tentad —les decía—; no estoy sudado; no he sudado ni tampoco una gota.

La Guindilla mayor y las Lepóridas censuraron a don José, el cura, que hubiese autorizado a poner la imagen de la Virgen sobre los hombros más pecadores del pueblo. Y juzgaron el acto meritorio de Paco, el herrero, como una ostentación evidentemente pecaminosa. Pero Daniel, el Mochuelo, estaba en lo cierto: lo que no podía perdonársele a Paco, el herrero, era su complexión y ser el hombre más vigoroso del valle, de todo el valle.

III

El valle... Aquel valle significaba mucho para Daniel, el Mochuelo. Bien mirado, significaba todo para él. En el valle había nacido y, en once años, jamás franqueó la cadena de altas montañas que lo circuían. Ni experimentó la necesidad de hacerlo siquiera.

A veces, Daniel, el Mochuelo, pensaba que su padre, y el cura, y el maestro, tenían razón, que su valle era como una gran olla independiente, absolutamente aislada del exterior. Y, sin embargo, no era así; el valle tenía su cordón umbilical, un doble cordón umbilical, mejor dicho, que lo vitalizaba al mismo tiempo que lo maleaba: la vía férrea y la carretera. Ambas vías atravesaban el valle de sur a norte, provenían de la parda y reseca llanura de Castilla y buscaban la llanura azul del mar. Constituían, pues, el enlace de dos inmensos mundos contrapuestos.

En su trayecto por el valle, la vía, la carretera y el río —que se unía a ellas después de lanzarse en un frenesí de rápidos y torrentes desde lo alto del Pico Rando— se entrecruzaban una y mil veces, creando una inquieta topografía de puentes, túneles, pasos a nivel y viaductos.

En primavera y verano, Roque, el Moñigo, y Daniel,

el Mochuelo, solían sentarse, al caer la tarde, en cualquier leve prominencia y desde allí contemplaban, agobiados por una unción casi religiosa, la lánguida e ininterrumpida vitalidad del valle. La vía del tren y la carretera dibujaban, en la hondonada, violentos y frecuentes zigzags; a veces se buscaban, otras se repelían, pero siempre, en la perspectiva, eran como dos blancas estelas abiertas entre el verdor compacto de los prados y los maizales. En la distancia, los trenes, los automóviles y los blancos caseríos tomaban proporciones de diminutas figuras de Nacimiento increíblemente lejanas y, al propio tiempo, incomprensiblemente próximas y manejables. En ocasiones se divisaban dos y tres trenes simultáneamente, cada cual con su negro penacho de humo colgado de la atmósfera, quebrando la hiriente uniformidad vegetal de la pradera. ¡Era gozoso ver surgir las locomotoras de las bocas de los túneles! Surgían como los grillos cuando el Moñigo o él orinaban, hasta anegarlas, en las huras del campo. Locomotora y grillo evidenciaban, al salir de sus agujeros, una misma expresión de jadeo, amedrentamiento y ahogo.

Le gustaba al Mochuelo sentir sobre sí la quietud serena y reposada del valle, contemplar el conglomerado de prados, divididos en parcelas y salpicados de caseríos dispersos. Y, de vez en cuando, las manchas oscuras y espesas de los bosques de castaños o la tonalidad clara y mate de las aglomeraciones de eucaliptos. A lo lejos, por todas partes, las montañas, que, según la estación y el clima, alteraban su contextura, pasando de una extraña ingravidez vegetal a una solidez densa, mineral y plomiza en los días oscuros.

Al Mochuelo le agradaba aquello más que nada, quizá, también, porque no conocía otra cosa. Le agradaba constatar el paralizado estupor de los campos y el verdor frenético del valle y las rachas de ruido y velocidad que la civilización enviaba de cuando en cuando, con una exactitud casi cronométrica.

Muchas tardes, ante la inmovilidad y el silencio de la naturaleza, perdían el sentido del tiempo y la noche se les echaba encima. La bóveda del firmamento iba poblándose de estrellas y Roque, el Moñigo, se sobrecogía bajo una especie de pánico astral. Era en estos casos, de noche y lejos del mundo, cuando a Roque, el Moñigo, se le ocurrían ideas inverosímiles, pensamientos que normalmente no le inquietaban.

Dijo una vez:

—Mochuelo, ¿es posible que si cae una estrella de ésas no llegue nunca al fondo?

Daniel, el Mochuelo, miró a su amigo, sin comprenderle.

—No sé lo que me quieres decir —respondió.

El Moñigo luchaba con su deficiencia de expresión. Accionó repetidamente con las manos y, al fin, dijo:

—Las estrellas están en el aire, ¿no es eso?

—Eso.

—Y la Tierra está en el aire también como otra estrella, ¿verdad? —añadió.

—Sí; al menos eso dice el maestro.

—Bueno, pues es lo que te digo. Si una estrella se cae y no choca con la Tierra ni con otra estrella, ¿no llega nunca al fondo? ¿Es que ese aire que las rodea no se acaba nunca?

Daniel, el Mochuelo, se quedó pensativo un instante. Empezaba a dominarle también a él un indefinible desasosiego cósmico. La voz surgió de su garganta indecisa y aguda como un lamento.

—Moñigo.

—¿Qué?

—No me hagas esas preguntas; me mareo.

—¿Te mareas o te asustas?

—Puede que las dos cosas —admitió.

Rió, entrecortadamente, el Moñigo.

—Voy a decirte una cosa —dijo luego.

—¿Qué?

—También a mí me dan miedo las estrellas y todas esas cosas que no se abarcan o no se acaban nunca. Pero no lo digas a nadie, ¿oyes? Por nada del mundo querría que se enterase mi hermana Sara.

El Moñigo escogía siempre estos momentos de reposo solitario para sus confidencias. Las ingentes montañas, con sus recias crestas recortadas sobre el horizonte, imbuían al Moñigo una irritante impresión de insignificancia. Si la Sara, pensaba Daniel, el Mochuelo, conociera el flaco del Moñigo, podría, fácilmente, meterlo en un puño. Pero, naturalmente, por su parte, no lo sabría nunca. Sara era una muchacha antipática y cruel y Roque su mejor amigo. ¡Que adivinase ella el terror indefinible que al Moñigo le inspiraban las estrellas!

Al regresar, ya de noche, al pueblo, se hacía más notoria y perceptible la vibración vital del valle. Los trenes pitaban en las estaciones diseminadas y sus silbidos rasgaban la atmósfera como cuchilladas. La tierra exhalaba un agradable vaho a humedad y a excremento de vaca. También olía, con más o menos fuerza, la hierba según el estado del cielo o la frecuencia de las lluvias.

A Daniel, el Mochuelo, le placían estos olores, como le placía oír en la quietud de la noche el mugido soñoliento de una vaca o el lamento chirriante e iterativo de una carreta de bueyes avanzando a trompicones por una cambera.

En verano, con el cambio de hora, regresaban al pueblo de día. Solían hacerlo por encima del túnel, escogiendo la hora del paso del tranvía interprovincial. Tumbados sobre el montículo, asomando la nariz al precipicio, los dos rapaces aguardaban impacientes la llegada del tren. La hueca resonancia del valle aportaba a sus oídos, con tiempo suficiente, la proximidad del convoy. Y, cuando el tren surgía del túnel, envuelto en una nube densa de humo, les hacía estornudar y reír con espasmódicas carcajadas. Y el tren se deslizaba bajo sus ojos, lento y traqueteante, monótono, casi al alcance de la mano.

Desde allí, por un senderillo de cabras, descendían a la carretera. El río cruzaba bajo el puente, con una sonoridad adusta de catarata. Era una corriente de montaña que discurría con fuerza entre grandes piedras reacias a la erosión. El murmullo oscuro de las aguas se remansaba, veinte metros más abajo, en la Poza del Inglés, donde ellos se bañaban en las tardes calurosas del estío.

En la confluencia del río y la carretera, a un kilómetro largo del pueblo, estaba la taberna de Quino, el Manco. Daniel, el Mochuelo, recordaba los buenos tiempos, los tiempos de las transacciones fáciles y baratas. En ellos, el Manco, por una perra chica les servía un gran vaso de sidra de barril y encima les daba conversación. Pero los tiempos habían cambiado últimamente y, ahora, Quino, el Manco, por cinco céntimos no les daba más que conversación.

La tasca de Quino, el Manco, se hallaba casi siempre vacía. El Manco era generoso hasta la prodigalidad y en los tiempos que corrían resultaba arriesgado ser generoso. En la taberna de Quino, por unas causas o por otras, sólo se despachaba ya un pésimo vino tinto con el que mataban la sed los empleados de la fábrica de clavos, ubicada quinientos metros río abajo.

Más allá de la taberna, a la izquierda, doblando la última curva, se hallaba la quesería del padre del Mochuelo. Frente por frente, un poco internada en los prados, la estación y, junto a ella, la casita alegre, blanca y roja de Cuco, el factor. Luego, en plena varga ya, empezaba el pueblo propiamente dicho.

Era, el suyo, un pueblecito pequeño y retraído y vulgar. Las casas eran de piedra, con galerías abiertas y colgantes de madera, generalmente pintadas de azul. Esta tonalidad contrastaba, en primavera y verano, con el verde y rojo de los geranios que infestaban galerías y balcones.

La primera casa, a mano izquierda, era la botica. Anexas estaban las cuadras, las magníficas cuadras de don Ramón, el boticario-alcalde, llenas de orondas, pacientes y saludables vacas. A la puerta de la farmacia existía una campanilla, cuyo repiqueteo distraía a don Ramón de sus afanes municipales para reintegrarle, durante unos minutos, a su profesión.

Siguiendo varga arriba, se topaba uno con el palacio de don Antonino, el marqués, preservado por una alta tapia de piedra, lisa e inexpugnable; el tallercito del zapatero; el Ayuntamiento, con un arcaico escudo en el frontis; la tienda de las Guindillas y su escaparate recompuesto y variado; la fonda, cuya famosa galería de cristales flanqueaba dos de las bandas del edificio; a la derecha de ésta, la plaza cubierta de boñigas y guijos y con una fuente pública, de dos caños, en el centro; cerrando la plaza, por el otro lado, estaba el edificio del Banco y, después, tres casas de vecinos con sendos jardincillos delante.

Por la derecha, frente a la botica, se hallaba la finca de Gerardo, el Indiano, cuyos árboles producían los mejores frutos de la comarca; la cuadra de Pancho, el Sindiós, donde circunstancialmente estuvo instalado el cine; la taberna del Chano; la fragua de Paco, el herrero; las oficinas de Teléfonos, que regentaban las Lepóridas; el bazar de Antonio, el Buche, y la casa de don José, el cura, que tenía la rectoría en la planta baja.

Trescientos metros más allá, varga abajo, estaba la iglesia, de piedra también, sin un estilo definido, y con un campanario erguido y esbelto. Frente a ella, los nuevos edificios de las escuelas, encalados y con las ventanas pintadas de verde, y la vivienda de don Moisés, el maestro.

Visto así, a la ligera, el pueblo no se diferenciaba de tantos otros. Pero para Daniel, el Mochuelo, todo lo de su pueblo era muy distinto a lo de los demás. Los problemas no eran vulgares, su régimen de vida revelaba talento y de casi todos sus actos emanaba una positiva trascendencia. Otra cosa es que los demás no quisieran reconocerlo.

Con frecuencia, Daniel, el Mochuelo, se detenía a contemplar las sinuosas callejas, la plaza llena de boñigas y guijarros, los penosos edificios, concebidos tan sólo bajo un sentido utilitario. Pero esto no le entristecía en absoluto. Las calles, la plaza y los edificios no hacían un pueblo, ni tan siquiera le daban fisonomía. A un pueblo lo hacían sus hombres y su historia. Y Daniel, el Mochuelo, sabía que por aquellas calles cubiertas de pastosas boñigas y por las casas que las flanqueaban pasaron hombres honorables, que hoy eran sombras, pero que dieron al pueblo y al valle un sentido, una armonía, unas costumbres, un ritmo, un modo propio y peculiar de vivir.

¿Que el pueblo era ferozmente individualista y que una corporación pública tuviera poco que hacer en él, como decía don Ramón, el alcalde? Bien. El Mochuelo no entendía de individualismo ni de corporaciones públicas, y no poseía razones para negarlo. Pero, si era así, los males consiguientes no rebasaban el pueblo y, después de todo, ellos mismos pagaban sus propios pecados.

¿Que preferían no asfaltar la plaza antes de que les aumentasen los impuestos? Bien. Por eso la sangre no iba a llegar al río. «La cosa pública es un desastre —voceaba,

101

a la menor oportunidad, don Ramón—. Cada uno mira demasiado lo propio y olvida que hay cosas que son de todos y que hay que cuidar», añadía. Y no había quien le metiera en la cabeza que ese egoísmo era flor o espina, o vicio o virtud de toda una raza.

Pero, ni por esto, ni por nada, podían regateársele al pueblo sus cualidades de eficiencia, seriedad y discreción. Cada uno en lo suyo, desde luego, pero los vagos no son vagos porque no quieran trabajar en las cosas de los demás. El pueblo, sin duda, era de una eficacia sobria y de una discreción edificante.

¿Que la Guindilla mayor y el Cuco, el factor, no eran discretos? Bien. En ningún cuerpo falta un lunar. Y, en cuanto al individualismo del pueblo, ¿se bastaban por sí solos los mozos y las mozas los sábados por la tarde y los domingos? Don José, el cura, que era un gran santo, solía manifestar, contristado: «Es lástima que vivamos uno a uno para todas las cosas y necesitemos emparejarnos para ofender al Señor.»

Pero tampoco don José, el cura, quería entender que esa sensualidad era flor o espina, o vicio o pecado de toda una raza.

IV

Las cosas pasaron en su momento y, ahora, Daniel, el Mochuelo, las recordaba con fruición. Su padre, el quesero, pensó un nombre antes de tener un hijo; tenía un nombre y lo arropaba y lo mimaba y era ya, casi, como tener un hijo. Luego, más tarde, nació Daniel.

Daniel, el Mochuelo, evocaba sus primeros pasos por la vida. Su padre emanaba un penetrante olor, era como un gigantesco queso, blando, blanco, pesadote. Pero Daniel, el Mochuelo, se gozaba en aquel olor que impregnaba a su padre y que le inundaba a él, cuando, en las noches de invierno, frente a la chimenea, acariciándole, le contaba la historia de su nombre.

El quesero había querido un hijo antes que nada para poder llamarle Daniel. Y se lo decía a él, al Mochuelo, cuando apenas contaba tres años y manosear su cuerpecillo carnoso y rechoncho equivalía a prolongar la cotidiana faena en el entremijo.

Pudo bautizarle con mil nombres diferentes, pero el quesero prefirió Daniel.

—¿Sabes que Daniel era un profeta que fue encerrado en una jaula con diez leones y los leones no se atrevieron a hacerle daño? —le decía, estrujándole amorosamente.

El poder de un hombre cuyos ojos bastaban para mantener a raya a una jauría de leones, era un poder superior al poder de todos los hombres; era un acontecimiento insólito y portentoso que desde niño había fascinado al quesero.

—Padre, ¿qué hacen los leones?

—Morder y arañar.

—¿Son peores que los lobos?

—Más feroces.

—¿Queeeé?

El quesero facilitaba la comprensión del Mochuelo como una madre que mastica el alimento antes de darlo a su hijito.

—Hacen más daño que los lobos, ¿entiendes? —decía.

Daniel, el Mochuelo, no se saciaba:

—¿Verdad que los leones son más grandes que los perros?

—Más grandes.

—¿Y por qué a Daniel no le hacían nada?

Al quesero le complacía desmenuzar aquella historia:

—Les vencía sólo con los ojos; sólo con mirarlos; tenía en los ojos el poder de Dios.

—¿Queeeé?

Apretaba al hijo contra sí:

—Daniel era un santo de Dios.

—¿Qué es eso?

La madre intervenía, precavida:

—Deja al chico ya; le enseñas demasiadas cosas para la edad que tiene.

Se lo quitaba al padre y lo acostaba. También su madre hedía a boruga y a cuajada. Todo, en su casa, olía a cuajada y a requesón. Ellos mismos eran un puro y decantado olor. Su padre llevaba aquel tufo hasta en el negro de las uñas de las manos. A veces, Daniel, el Mochuelo, no se explicaba por qué su padre tenía las uñas negras trabajando con leche o por qué los quesos salían blancos siendo elaborados con aquellas uñas tan negras.

Pero luego su padre se distanció de él; ya no le hacía arrumacos ni carantoñas. Y eso fue desde que su padre se dio cuenta de que el chico ya podía aprender las cosas por sí. Fue entonces cuando comenzó a ir a la escuela y cuando se arrimó al Moñigo en busca de amparo. A pesar de todo, su padre, su madre y la casa entera seguían oliendo a boruga y a requesón. Y a él seguía gustándole aquel olor, aunque Roque, el Moñigo, dijese que a él no le gustaba, porque olía lo mismo que los pies.

Su padre se distanció de él como de una cosa hecha, que ya no necesita de cuidados. Le daba desilusión a su padre verle valerse por sí, sin precisar de su patrocinio. Pero, además, el quesero se tornó taciturno y malhumorado. Hasta entonces, como decía su mujer, había sido como una perita en dulce. Y fue el cochino afán del ahorro lo que agrió su carácter. El ahorro, cuando se hace a costa de una necesidad insatisfecha, ocasiona en los hombres acritud y encono. Así le sucedió al quesero. Cualquier gasto menudo o el menor desembolso superfluo le producían un disgusto exagerado. Quería ahorrar, tenía que ahorrar por encima de todo, para que Daniel, el Mochuelo, se hiciera un hombre en la ciudad, para que progresase y no fuera como él, un pobre quesero.

Lo peor es que de esto nadie sacaba provecho. Daniel, el Mochuelo, jamás lo comprendería. Su padre sufriendo, su madre sufriendo y él sufriendo, cuando el quitarle el sufrimiento a él significaría el fin del sufrimiento de todos los demás. Pero esto hubiera sido truncar el camino, resignarse a que Daniel, el Mochuelo, desertase de progresar. Y esto no lo haría el quesero; Daniel progresaría aunque fuese a costa del sacrificio de toda la familia, empezando por él mismo.

No. Daniel, el Mochuelo, no entendería nunca estas cosas, estas tozudeces de los hombres y que se justificaban como un anhelo lógico de liberarse. Liberarse, ¿de qué? ¿Sería él más libre en el colegio, o en la universidad, que cuando el Moñigo y él se peleaban a boñigazo limpio en los prados del valle? Bueno, quizá sí; pero él nunca lo entendería.

Su padre, por otra parte, no supo lo que hizo cuando le puso el nombre de Daniel. Casi todos los padres de todos los chicos ignoraban lo que hacían al bautizarlos. Y también lo ignoró el padre del maestro y el padre de Quino, el Manco, y el padre de Antonio, el Buche, el del bazar. Ninguno sabía lo que hacía cuando don José, el cura, que era un gran santo, volcaba la concha llena de agua bendita sobre la cabeza del recién nacido. O si sabían lo que hacían, ¿por qué lo hacían así, a conciencia de que era inútil?

A Daniel, el Mochuelo, le duró el nombre lo que la primera infancia. Ya en la escuela dejó de llamarse Daniel, como don Moisés, el maestro, dejó de llamarse Moisés a poco de llegar al pueblo.

Don Moisés, el maestro, era un hombre alto, desmedrado y nervioso. Algo así como un esqueleto recubierto de piel. Habitualmente torcía media boca como si intentase morderse el lóbulo de la oreja. La molicie o el contento le hacían acentuar la mueca de tal manera que la boca se le rasgaba hasta la patilla, que se afeitaba muy abajo. Era una cosa rara aquel hombre y a Daniel, el Mochuelo, le asustó y le interesó desde el primer día de conocerlo. Le llamaba Peón, como oía que le llamaban los

106

demás chicos, sin saber por qué. El día que le explicaron que le bautizó el juez así en atención a que don Moisés «avanzaba de frente y comía de lado», Daniel, el Mochuelo, se dijo que «bueno», pero continuó sin entenderlo y llamándole Peón un poco a tontas y a locas.

Por lo que a Daniel, el Mochuelo, concernía, es verdad que era curioso, y todo cuanto le rodeaba lo encontraba nuevo y digno de consideración. La escuela, como es natural, le llamó la atención más que otras cosas, y más que la escuela en sí, el Peón, el maestro, y su boca inquieta e incansable y sus negras y espesas patillas de bandolero.

Germán, el hijo del zapatero, fue quien primero reparó en su modo de mirar las cosas. Un modo de mirar las cosas atento, concienzudo e insaciable.

—Fijaos —dijo—; lo mira todo como si le asustase.

Y todos le miraron con mortificante detenimiento.

—Y tiene los ojos verdes y redondos como los gatos —añadió un sobrino lejano de don Antonino, el marqués.

Otro precisó aún más y fue el que dio en el clavo:

—Mira lo mismo que un mochuelo.

Y con Mochuelo se quedó, pese a su padre y pese al profeta Daniel y pese a los diez leones encerrados con él en una jaula y pese al poder hipnótico de los ojos del profeta. La mirada de Daniel, el Mochuelo, por encima de los deseos de su padre, el quesero, no servía siquiera para apaciguar a una jauría de chiquillos. Daniel se quedó para usos domésticos. Fuera de casa sólo se le llamaba Mochuelo.

Su padre luchó un poco por conservar su antiguo nombre y hasta un día se peleó con la mujeruca que traía el fresco en el mixto; pero fue en balde. Tratar de impedir aquello era lo mismo que tratar de contener la impetuosa corriente del río en primavera. Una cosa vana. Y él sería, en lo sucesivo, Mochuelo, como don Moisés era el Peón;

Roque, el Moñigo; Antonio, el Buche; doña Lola, la tendera, la Guindilla mayor; y las de Teléfonos, las Cacas y las Lepóridas.

Aquel pueblo administraba el sacramento del bautismo con una pródiga y mordaz desconsideración.

V

Es verdad que la Guindilla mayor se tenía bien ganado su apodo por su carita redonda y coloradita y su carácter picante y agrio como el aguardiente. Por añadidura era una cotilla. Y a las cotillas no les viene mal todo lo que les caiga encima. No tenía ningún derecho, por otra parte, a tratar de dominar al pueblo. El pueblo quería ser libre e independiente y a ella ni le iba ni le venía, a fin de cuentas, si Pancho creía o no creía en Dios, si Paco, el herrero, era abstemio o bebía vino, o si el padre de Daniel, el Mochuelo, fabricaba el queso con las manos limpias o con las uñas sucias. Si esto le repugnaba, que no comiera queso y asunto concluido.

Daniel, el Mochuelo, no creía que hacer lo que la Guindilla mayor hacía fuese ser buena. Los buenos eran los demás que le admitían sus impertinencias e, incluso, la nombraban presidenta de varias asociaciones piadosas. La Guindilla mayor era un esperpento y una víbora. A Antonio, el Buche, le asistía la razón al decir esto, aunque el Buche pensase más, al fallar así, en la competencia comercial que le hacía la Guindilla que en sus defectos físicos y morales.

La Guindilla mayor, no obstante el tono rojizo de su piel, era alta y seca como una cucaña, aunque ni siquiera tenía, como ésta, un premio en la punta. Total, que la Guindilla no tenía nada, aparte unas narices muy desarrolladas, un afán inmoderado de meterse en vidas ajenas y un vario y siempre renovado repertorio de escrúpulos de conciencia.

A don José, el cura, que era un gran santo, le traía de cabeza.

—Mire usted, don José —le decía, cualquier día, un minuto antes de empezar la misa—, anoche no pude dormir pensando que si Cristo en el Monte de los Olivos se quedó solo y los apóstoles se durmieron, ¿quién pudo ver que el Redentor sudase sangre?

Don José entornaba los ojillos, penetrantes como puntas de alfileres:

—Tranquiliza tu conciencia, hija; esas cosas las conocemos por revelación.

La Guindilla mayor lloriqueaba desazonada y hacía cuatro pucheros. Decía:

—¿Cree usted, don José, que podré comulgar tranquila habiendo pensado esas cosas?

Don José, el cura, debía usar de la paciencia de Job para soportarla:

—Si no tienes otras faltas puedes hacerlo.

Y así un día y otro día.

—Don José, anoche no pegué un ojo dando vueltas al asunto del Pancho. ¿Cómo puede recibir este hombre el sacramento del matrimonio si no cree en Dios?

Y unas horas después:

—Don José, no sé si me podrá absolver usted. Ayer domingo leí un libro pecaminoso que hablaba de las religiones en Inglaterra. Los protestantes están allí en franca mayoría. ¿Cree usted, don José, que si yo hubiera nacido en Inglaterra, hubiera sido protestante?

Don José, el cura, tragaba saliva:

—No sería difícil, hija.

—Entonces me acuso, padre, de que podría ser protestante de haber nacido en Inglaterra.

Doña Lola, la Guindilla mayor, tenía treinta y nueve años cuando Daniel, el Mochuelo, nació. Tres años después, el Señor la castigó en lo que más podía dolerle. Pero no es menos cierto que la Guindilla mayor se impuso a su dolor con la rigidez y destemplanza con que solía imponerse a sus convecinos.

El hecho de que a doña Lola se la conociera por la Guindilla mayor ya hace presumir que hubiese otras Guindillas menores. Y así era; las Guindillas habían sido tres, aunque ahora solamente restasen dos: la mayor y la menor; las dos Guindillas. Eran hijas de un guardia civil, durante muchos años jefe de puesto en el pueblo. Al morir el guardia, que, según malas lenguas, que nunca faltan, falleció de pena por no tener un hijo varón, dejó unos ahorros con los que sus hijas establecieron una tienda. Naturalmente que el sargento murió en unos tiempos en que un suboficial de la Guardia Civil podía, con su sueldo, vivir discretamente y aun ahorrar un poco. Desde la muerte del guardia —su mujer había muerto años antes—, Lola, la Guindilla mayor, se hizo cargo de las riendas del hogar. Se impuso a sus hermanas por edad y por estatura.

Daniel, el Mochuelo, no conoció más que a dos Guindillas, pero según había oído decir en el pueblo, la tercera fue tan seca y huesuda como ellas y, en su época, resultó problema difícil diferenciarlas sin efectuar, previamente, un prolijo y minucioso análisis.

Nada de eso desmiente que las dos Guindillas menores hicieran pasar, en vida, a su hermana mayor un verdadero purgatorio. La del medio era dejada y perezosa y su carác-

111

ter y manera de ser trascendía al pueblo, que por los gritos y estridentes reconvenciones que a toda hora salían de la trastienda y la casa de las Guindillas, seguía la mala, y aun peor, situación de las relaciones fraternas. Eso sí, decían en el pueblo, y debía de ser cierto porque lo decían todos, que jamás mientras las tres Guindillas vivieron juntas se las vio faltar un día a la misa de ocho que don José, el cura, que era un gran santo, decía en la parroquia, ante el altar de San Roque. Allí caminaban, tiesas y erguidas, las tres, hiciera frío, lloviera o tronase. Además marchaban regularmente, marcando el paso, porque su padre, aparte de los ahorros, dejó a sus hijas en herencia un muy despierto y preciso sentido del ritmo militar y de otras virtudes castrenses. Un-dos, un-dos, un-dos; allá avanzaban las tres Guindillas, con sus bustos secos, sus caderas escurridas y su soberbia estatura, camino de la iglesia, con los velos anudados a la barbilla y el misal debajo del brazo.

Un invierno, la del medio, Elena, murió. Se apagó una mañana fosca y lluviosa de diciembre. Cuando la gente acudió a dar el pésame a las dos hermanas supervivientes, la Guindilla mayor se santiguaba y repetía:

—Dios es sabio y justo en sus decisiones; se ha llevado a lo más inútil de la familia. Démosle gracias.

Ya en el pequeño cementerio rayano a la iglesia, cuando cubrían con tierra el cuerpo descarnado de Elena —la Guindilla del medio—, varias plañideras comenzaron a gimotear. La Guindilla mayor se encaró con ellas, áspera y digna y destemplada:

—No la lloréis —dijo—; ha muerto de desidia.

Y, desde entonces, el trío se convirtió en dúo y en la misa de ocho que don José, el cura, que era un gran santo, rezaba ante el altar de San Roque, se echaba de menos el afilado y breve volumen de la Guindilla difunta.

Pero fue aún peor lo que ocurrió con la Guindilla

menor. A fin de cuentas lo de la del medio fue designio de Dios, mientras lo de la otra fue una flaqueza de la carne y por lo tanto debido a su libre y despreocupado albedrío.

Por aquel entonces se estableció en el pueblo la pequeña sucursal del Banco que ahora remataba uno de los costados de la plaza. Con el director arribó un oficialito apuesto y bien vestido al que sólo por verle la cara de cerca, a través de la ventanilla, le llevaban sus ahorros las vecinas de la calle. Fue un buen cebo el que utilizó el Banco para atrapar clientela. Un procedimiento que cualquier financiero de talla hubiera recusado, pero que en el pueblo rindió unos resultados formidables. Tanto fue así que Ramón, el hijo del boticario, que empezaba entonces sus estudios jurídicos, lamentó no estar en condiciones todavía de elaborar su tesis doctoral, que hubiera hecho muy a gusto sobre el original tema «Influencia de un personal escrupulosamente escogido en las economías de un pueblo». Con lo de «economías» se refería a «ahorros» y con lo de «pueblo», concretamente, a su «pequeña aldea». Lo que ocurría es que sonaba muy bien aquello de «economía de un pueblo» y daba a su hipotético trabajo, y aunque él lo decía en broma, una mayor altura y un alcance mucho más amplio.

Con la llegada de Dimas, el oficialito del Banco, los padres y los maridos del pueblo se pusieron en guardia. Don José, el cura, que era un gran santo, charló repetidas veces con don Dimas, apuntándole las grandes consecuencias que su bigote podría acarrear sobre el pueblo, para bien o para mal. La asiduidad con que el cura y don Dimas se entrevistaban diluyó no poco el recelo de padres y maridos y hasta la Guindilla menor consideró que no era imprudente ni irreligioso dejarse acompañar, de cuando en cuando, por don Dimas, aunque su hermana

113

mayor, extremando el comedimiento, le censurase a gritos «su libertinaje y su descoco notorios».

Lo cierto es que a la Guindilla menor, a la que hasta entonces se le antojara aquel valle una cárcel vacía y sin luz, se le abrieron repentinamente los horizontes y reparó, por vez primera en su vida, en la belleza de las montañas abruptas, las calidades poéticas de la verde campiña y en lo sugestivo que resultaba oír rasgarse la noche del valle por el estridente silbido de un tren. Naderías, al fin y al cabo, pero naderías que logran una afilada trascendencia cuando se tiene el corazón encandilado.

Una tarde, la Guindilla menor regresó de su acostumbrado paseo alborozada:

—Hermana —dijo—. No sé de dónde te viene esa inquina hacia Dimas. Es el mejor hombre que he conocido. Hoy le hablé de nuestro dinero y él me dio enseguida cuatro ideas para colocarlo bien. Le he dicho que lo teníamos en un Banco de la ciudad y que hablaríamos tú y yo antes de decidirme.

Aulló, escocida, la Guindilla mayor:

—¿Y le has dicho que se trata solamente de mil duros?

Sonrió la Guindilla menor ante el menosprecio que su hermana hacía de su sagacidad:

—No, naturalmente. De la cifra no he dicho nada —dijo.

Lola, la Guindilla mayor, levantó sus hombros huesudos en ademán de impotencia. Luego chilló, dejando resbalar las palabras, como por un tobogán, a lo largo de su afilada nariz:

—¿Sabes lo que te digo? Que ese hombre es un truhán que se está burlando de ti. ¿No ves que todo el pueblo anda en comentarios y riéndose de tu tontería? Serás tú la única que no se entere, hermana. —Cambió repentinamente el tono de su voz, suavizándolo—: Tienes treinta y seis años, Irene; podrías ser casi la madre de ese muchacho. Piénsalo bien.

Irene, la Guindilla menor, adoptó una actitud levantisca, de mar encrespada.

—Me duelen tus recelos, Lola, para que lo sepas —dijo—. Me fastidian tus malévolas insinuaciones. Nada tiene de particular, creo yo, que se entiendan un hombre y una mujer. Y nada significa que se lleven unos años. Lo que ocurre es que todas las del pueblo, empezando por ti, me tenéis envidia.

Las dos Guindillas se separaron con las narices en alto. A la tarde siguiente, Cuco, el factor, anunció en el pueblo que doña Irene, la Guindilla menor, y don Dimas, el del Banco, habían cogido el mixto para la ciudad. A la Guindilla mayor, al enterarse, le vino un golpe de sangre a la cara que le ofuscó la razón. Se desmayó. Tardó más de cinco minutos en recobrar el sentido. Cuando lo hizo, extrajo de un apolillado arcón el traje negro que aún conservaba desde la muerte de su padre, se embuchó en él, y marchó a paso rápido a la rectoría.

—Don José, Dios mío, qué gran desgracia —dijo al entrar.

—Serénate, hija.

Se sentó la Guindilla en una silla de mimbre, junto a la mesa del cura. Interrogó a don José con la mirada.

—Sí, ya lo sé; el Cuco me lo contó todo —respondió el párroco.

Ella respiró fuerte y sus costillas resonaron como si entrechocasen. Seguidamente se limpió una lágrima, redonda y apretada como un goterón de lluvia.

—Escúcheme con atención, don José —dijo—, tengo una horrible duda. Una duda que me corroe las entrañas. Irene, mi hermana, es ya una prostituta, ¿no es eso?

115

El cura se ruborizó un poco:

—Calla, hija. No digas disparates.

Cerró el párroco el breviario que estaba leyendo y carraspeó, pero su voz salió, no obstante, empañada de una sorda gangosidad.

—Escucha —dijo—, no es una prostituta la mujer que se da a un hombre por amor. La prostituta es la que hace de su cuerpo y de las gracias que Dios le ha dado un comercio ilícito; la que se entrega a todos los hombres por un estipendio. ¿Comprendes la diferencia?

La Guindilla irguió el busto, inexorable:

—Padre, de todas maneras lo que ha hecho Irene es un gravísimo pecado, un asqueroso pecado, ¿no es cierto?

—Lo es, hija —respondió el cura—, pero no irreparable. Creo conocer a don Dimas y no me parece mal muchacho. Se casarán.

La Guindilla mayor se cubrió los ojos con los dedos descarnados y reprimió a medias un sollozo:

—Padre, padre, pero aún hay otra cosa —dijo—. A mi hermana le ha hecho caer el ardor de la sangre. Es su sangre la que ha pecado. Y mi sangre es la misma que la de ella. Yo podría haber hecho otro tanto. Padre, padre, me acuso de ello. De todo corazón, horriblemente contristada, me arrepiento de ello.

Se levantó don José, el cura, que era un gran santo, y le tocó la cabeza con los dedos:

—Ve, hija. Ve a tu casa y tranquilízate. Tú no tienes la culpa de nada. Lo de Irene, ya lo arreglaremos.

Lola, la Guindilla mayor, abandonó la rectoría. En cierto modo iba más consolada. Por el camino se repitió mil veces que estaba obligada a expresar su dolor y vergüenza de modo ostensible, ya que perder la honra siempre era una desgracia mayor que perder la vida. Influida por esta idea, al llegar a casa, recortó un cartoncito de una caja de zapatos, tomó un pincel y a trazos nerviosos escribió: «Cerrado por deshonra.» Bajó a la calle y lo fijó a la puerta de la tienda.

El establecimiento, según le contaron a Daniel, el Mochuelo, estuvo cerrado diez días con sus diez noches consecutivas.

VI

Pero Daniel, el Mochuelo, sí sabía ahora lo que era tener el vientre seco y lo que era un aborto. Estas cosas se hacen sencillas y comprensibles a determinada edad. Antes, le parecen a uno cosa de brujas. El desdoblamiento de una mujer no encuentra sitio en la cabeza humana mientras no se hace evidente la rotundidad delatora. Y eso no pasa casi nunca antes de la primera comunión. Los ojos no sirven, antes de esa edad, para constatar las cosas palmarias y cuya simplicidad, más tarde, nos abruma.

Mas también Germán, el Tiñoso, el hijo del zapatero, sabía lo que era un vientre seco y lo que era un aborto. Germán, el Tiñoso, siempre fue un buen amigo, en todas las ocasiones; hasta en las más difíciles. No llegó, con Daniel, el Mochuelo, a la misma intimidad que el Moñigo, por ejemplo, pero ello no era achacable a él, ni a Daniel, el Mochuelo, ni a ninguna de las cosas y fenómenos que dependen de nuestra voluntad.

Germán, el Tiñoso, era un muchacho esmirriado, endeble y pálido. Tal vez con un pelo menos negro no se le hubieran notado tanto las calvas. Porque Germán tenía calvas en la cabeza desde muy niño y seguramente por eso le llamaban el Tiñoso, aunque, por supuesto, las calvas no fueran de tiña propiamente hablando.

Su padre el zapatero, además del tallercito —a mano izquierda de la carretera, según se sube, pasado el palacio de don Antonino, el marqués— tenía diez hijos: seis como Dios manda, desglosados en unidades, y otros cuatro en dos pares. Claro que su mujer era melliza y la madre de su mujer lo había sido y él tenía una hermana en Cataluña que era melliza también y había alumbrado tres niños de un solo parto y vino, por ello, en los periódicos y el gobernador la había socorrido con un donativo. Todo esto era sintomático sin duda. Y nadie apearía al zapatero de su creencia de que estos fenómenos se debían a un bacilo, «como cualquier otra enfermedad».

Andrés, el zapatero, visto de frente, podía pasar por padre de familia numerosa; visto de perfil, imposible. Con motivos sobrados le decían en el pueblo: «Andrés, el hombre que de perfil no se le ve.» Y esto era casi literalmente cierto de lo escuchimizado y flaco que era. Y además, tenía una muy acusada inclinación hacia delante, quién decía que a consecuencia de su trabajo, quién por su afán insaciable por seguir, hasta perderlas de vista, las pantorrillas de las chicas que desfilaban dentro de su campo visual. Viéndole en esta disposición resultaba menos abstruso, visto de frente o de perfil, que fuera padre de diez criaturas. Y por si fuera poco la prole, el tallercito de Andrés, el zapatero, estaba siempre lleno de verderones, canarios y jilgueros enjaulados, y en primavera aturdían con su cri-cri desazonador y punzante más de una docena de grillos. El hombre, ganado por el misterio de la fecundación, hacía objeto a aquellos animalitos de toda clase de experiencias. Cruzaba canarias con verderones y canarios con jilgueras para ver lo que salía y él aseguraba que los híbridos ofrecían entonaciones más delicadas y cadenciosas que los pura raza.

Por encima de todo, Andrés, el zapatero, era un filó-sofo. Si le decían: «Andrés, ¿pero no tienes bastante con diez hijos que aún buscas la compañía de los pájaros?», respondía: «Los pájaros no me dejan oír a los chicos.»

Por otra parte, la mayor parte de los hijos estaban ya en edad de defenderse. Los peores años habían pasado a la historia. Por cierto que al llamar a quintas a la primera pareja de mellizos sostuvo una discusión acalorada con el secretario porque el zapatero aseguraba que eran de reem-plazos distintos.

—Pero hombre de Dios —dijo el secretario—, ¿cómo van a ser de diferente quinta siendo gemelos?

A Andrés, el zapatero, se le fueron los ojos tras las rollizas pantorrillas de una moza que había ido a justifi-car la ausencia de su hermano. Después hurtó el cuello, con un ademán que recordaba al caracol que se reduce en su concha, y respondió:

—Muy sencillo; el Andrés nació a las doce menos diez del día de San Silvestre. Cuando nació el Mariano ya era año nuevo.

Sin embargo, como ambos estaban inscritos en el Re-gistro el 31 de diciembre, Andrés, «el hombre que de perfil no se le ve», tuvo que acceder a que se le llevaran juntos a los dos chicos.

Otro de sus hijos, Tomás, estaba bien colocado en la ciudad, en una empresa de autobuses. Otro, el Bizco, le ayudaba en su trabajo. Las demás eran chicas, salvando, naturalmente, a Germán, el Tiñoso, que era el más pe-queño.

Germán, el Tiñoso, fue el que dijo de Daniel, el Mo-chuelo, el día que éste se presentó en la escuela, que mi-raba las cosas como si siempre estuviese asustado. Afi-nando un poco, resultaba ser Germán, el Tiñoso, quien había bautizado a Daniel, pero éste no le guardaba ningún rencor por ello, antes bien encontró en él, desde el primer día, una leal amistad.

Las calvas del Tiñoso no fueron obstáculo para una comprensión. Si es caso, las calvas facilitaron aquella amistad, ya que Daniel, el Mochuelo, sintió desde el primer instante una vehemente curiosidad por aquellas islitas blancas, abiertas en el espeso océano de pelo negro que era la cabeza del Tiñoso.

Sin embargo, a pesar de que las calvas del Tiñoso no constituían motivo de preocupación en casa del zapatero ni en su reducido círculo de amigos, la Guindilla mayor, guiada por su frustrado instinto maternal en el que envolvía a todo el pueblo, decidió intervenir en el asunto, por más que el asunto ni le iba ni le venía. Mas la Guindilla mayor era muy aficionada a entrometerse donde nadie la llamaba. Entendía que su desmedido interés por el prójimo lo dictaba su ferviente anhelo de caridad, su alto sentido de la fraternidad cristiana, cuando lo cierto era que la Guindilla mayor utilizaba esta treta para poder husmear en todas partes bajo un rebozo, poco convincente, de prudencia y discreción.

Una tarde, estando Andrés, «el hombre que de perfil no se le ve», afanando en su cuchitril, le sorprendió la llegada de doña Lola, la Guindilla.

—Zapatero —dijo, apenas estuvo ante él—, ¿cómo tiene usted al chiquillo con esas calvas?

El zapatero no perdió la compostura ni apartó la vista de su tarea.

—Déjele estar, señora —respondió—. A la vuelta de cien años ni se le notarán las calvas.

Los grillos, los verderones y los jilgueros armaban una algarabía espantosa y la Guindilla y el zapatero habían de entenderse a gritos.

—¡Tenga! —añadió ella, autoritaria—. Por las noches le va usted a poner esta pomada.

121

El zapatero alzó la vista hasta ella, cogió el tubo, lo miró y remiró por todas partes y, luego, se lo devolvió a la Guindilla.

—Guárdeselo —dijo—; esto no vale. Al chiquillo le ha pegado las calvas un pájaro.

Y continuó trabajando.

Aquello podía ser verdad y podía no serlo. Por de pronto, Germán, el Tiñoso, sentía una afición desmesurada por los pájaros. Seguramente se trataba de una reminiscencia de su primera infancia, desarrollada entre estridentes pitidos de verderones, canarios y jilgueros. Nadie en el valle entendía de pájaros como Germán, el Tiñoso, que además, por los pájaros, era capaz de pasarse una semana entera sin comer ni beber. Esta cualidad influyó mucho, sin duda, en que Roque, el Moñigo, se aviniese a hacer amistad con aquel rapaz físicamente tan deficiente.

Muchas tardes, al salir de la escuela, Germán les decía:

—Vamos. Sé dónde hay un nido de curas. Tiene doce crías. Está en la tapia del boticario.

O bien:

—Venid conmigo al prado del Indiano. Está lloviznando y los tordos saldrán a picotear las boñigas.

Germán, el Tiñoso, distinguía como nadie a las aves por la violencia o los espasmos del vuelo o por la manera de gorjear; adivinaba sus instintos; conocía, con detalle, sus costumbres; presentía la influencia de los cambios atmosféricos en ellas y se diría que, de haberlo deseado, hubiera aprendido a volar.

Esto, como puede suponerse, constituía para el Mochuelo y el Moñigo un don de inapreciable valor. Si iban a pájaros no podía faltar la compañía de Germán, el Tiñoso, como a un cazador que se estime en algo no puede faltarle el perro.

Esta debilidad del hijo del zapatero le acarreó por otra parte muy serios y sensibles contratiempos. En cierta ocasión, buscando un nido de malvises entre la maleza de encima del túnel, perdió el equilibrio y cayó aparatosamente sobre la vía, fracturándose un pie. Al cabo de un mes, don Ricardo le dio por curado, pero Germán, el Tiñoso, renqueó de la pierna derecha durante toda su vida. Claro que a él no le importaba esto demasiado y siguió buscando nidos con el mismo inmoderado afán que antes del percance.

En otra ocasión, se desplomó desde un cerezo silvestre, donde acechaba a los tordos, sobre una enmarañada zarzamora. Una de las púas le rasgó el lóbulo de la oreja derecha de arriba abajo, y como él no quiso cosérselo, le quedó el lobulillo dividido en dos como la cola de un frac.

Pero todo esto eran gajes del oficio y a Germán, el Tiñoso, jamás se le ocurrió lamentarse de su cojera, de su lóbulo partido, ni de sus calvas que, al decir de su padre, se las había contagiado un pájaro. Si los males provenían de los pájaros, bienvenidos fuesen. Era la suya una especie de resignación estoica cuyos límites no resultaban nunca previsibles.

—¿No te duele nunca eso? —le preguntó un día el Moñigo, refiriéndose a la oreja.

Germán, el Tiñoso, sonrió, con su sonrisa pálida y triste de siempre.

—Alguna vez me duele el pie cuando va a llover. La oreja no me duele nunca —dijo.

Pero para Roque, el Moñigo, el Tiñoso poseía un valor superior al de un simple experto pajarero. Éste era su propia endeblez constitucional. En este aspecto, Germán, el Tiñoso, significaba un cebo insuperable para buscar camorra. Y Roque, el Moñigo, precisaba de camorras como del pan de cada día. En las romerías de los pueblos colin-

123

dantes, durante el estío, el Moñigo hallaba frecuentes ocasiones de ejercitar sus músculos. Eso sí, nunca sin una causa sobradamente justificada. Hay un afán latente de pujanza y hegemonía en el coloso de un pueblo hacia los colosos de los vecinos pueblos, villorrios y aldeas. Y Germán, el Tiñoso, tan enteco y delicado, constituía un buen punto de contacto entre Roque y sus adversarios; una magnífica piedra de toque para deslindar supremacías.

El proceso hasta la ruptura de hostilidades no variaba nunca. Roque, el Moñigo, estudiaba el terreno desde lejos. Luego, susurraba al oído del Tiñoso:

—Acércate y quédate mirándolos, como si fueras a quitarles las avellanas que comen.

Germán, el Tiñoso, se acercaba atemorizado. De todas formas, la primera bofetada era inevitable. De otro lado, no era cosa de mandar al diablo su buena amistad con el Moñigo por un escozor pasajero. Se detenía a dos metros del grupo y miraba a sus componentes con insistencia. La conminación no se hacía esperar:

—No mires así, pasmado. ¿Es que no te han dado nunca una guarra?

El Tiñoso, impertérrito, sostenía la mirada sin pestañear y sin cambiar de postura, aunque las piernas le temblaban un poco. Sabía que Daniel, el Mochuelo, y Roque, el Moñigo, acechaban tras el estrado de la música. El coloso del grupo enemigo insistía:

—¿Oíste, mierdica? Te largas de ahí o te abro el alma en canal.

Germán, el Tiñoso, hacía como si no oyera, los dos ojos como dos faros, centrados en el paquete de avellanas, inmóvil y sin pronunciar palabra. En el fondo, consideraba ya el lugar del presunto impacto y si la hierba que pisaba estaría lo suficientemente mullida para paliar el golpe. El gallito adversario perdía la paciencia:

—Toma, fisgón, para que aprendas.

Era una cosa inexplicable, pero siempre, en casos semejantes, Germán, el Tiñoso, sentía antes la consoladora presencia del Moñigo a su espalda que el escozor del cachete. Su consoladora presencia y su voz próxima, caliente y protectora:

—Pegaste a mi amigo, ¿verdad? —y añadía mirando compasivamente a Germán—: ¿Le dijiste tú algo, Tiñoso?

—No abrí la boca. Me pegó porque lo miraba.

La pelea ya estaba hecha y el Moñigo llevaba, además, la razón en cuanto que el otro había golpeado a su amigo sólo por mirarlo, es decir, según las elementales normas del honor de los rapaces, sin motivo suficiente y justificado.

Y como la superioridad de Roque, el Moñigo, en aquel empeño era cosa descontada, siempre concluían sentados en el «campo» del grupo adversario y comiéndose sus avellanas.

VII

Entre ellos tres no cabían disensiones. Cada cual acataba de antemano el lugar que le correspondía en la pandilla. Daniel, el Mochuelo, sabía que no podía imponerse al Moñigo, aunque tuviera una inteligencia más aguda que la suya, y Germán, el Tiñoso, reconocía que estaba por debajo de los otros dos, a pesar de que su experiencia pajarera era mucho más sutil y vasta que la de ellos. La prepotencia, aquí, la determinaba el bíceps y no la inteligencia, ni las habilidades, ni la voluntad. Después de todo, era una cosa razonable, pertinente y lógica.

Ello no quita para que Daniel, el Mochuelo, fuera el único capaz de coger los trenes mercancías en pleno ahogo ascendente y aun los mixtos si no venían sin carga o con máquina nueva. El Moñigo y el Tiñoso corrían menos que él, pero la ligereza de las piernas tampoco justificaba una primacía. Representaba una estimable cualidad, pero sólo eso.

En las tardes dominicales y durante las vacaciones veraniegas los tres amigos frecuentaban los prados y los montes y la bolera y el río. Sus entretenimientos eran variados, cambiantes y un poco salvajes y elementales. Es fácil hallar diversión, a esa edad, en cualquier parte. Con los tirachinas hacían, en ocasiones, terribles carnicerías de tordos, mirlos y malvises. Germán, el Tiñoso, sabía que los tordos, los mirlos y los malvises, al fin y al cabo de la misma familia, aguardaban mejor que en otra parte en las zarzamoras y los bardales, a las horas de calor. Para matarlos en los árboles o en la vía, cogiéndolos aún adormilados, era preciso madrugar. Por eso preferían buscarlos en plena canícula, cuando los animalitos sesteaban perezosamente entre la maleza. El tiro era, así, más corto, el blanco más reposado y, consiguientemente, la pieza resultaba más segura.

Para Daniel, el Mochuelo, no existía plato selecto comparable a los tordos con arroz. Si cobraba uno le gustaba, incluso, desplumarlo por sí mismo, y de esta forma pudo adivinar un día que casi todos los tordos tenían miseria debajo del plumaje. Le decepcionó la respuesta del Tiñoso al comunicarle su maravilloso descubrimiento.

—¿Ahora te enteras? Casi todos los pájaros tienen miseria bajo la pluma. Según mi padre, a mí me pegó las calvas un cuclillo.

Daniel, el Mochuelo, formó el propósito de no intentar nuevos descubrimientos concernientes a los pájaros. Si quería conocer algo de ellos resultaba más cómodo y rápido preguntárselo al Tiñoso.

Otros días iban al corro de bolos a jugar una partida. Aquí, Roque, el Moñigo, los aventajaba de forma contundente. De nada servía que les concediese una apreciable ventaja inicial; al acabar la partida, ellos apenas si se habían movido de la puntuación obtenida de gracia, mientras el Moñigo rebasaba, sin esfuerzo, el máximo. En este juego, el Moñigo demostraba la fuerza y el pulso y la destreza de un hombre ya desarrollado. En los campeonatos que se celebraban por la Virgen, el Moñigo —que participaba con casi todos los hombres del pueblo— nunca se clasificaba por debajo del cuarto lugar. A su hermana Sara la sulfuraba esta precocidad.

—Bestia, bestia —decía—, que vas a ser más bestia que tu padre.

Paco, el herrero, la miraba con ojos esperanzados.

—Así lo quiera Dios —añadía, como si rezara.

Pero, quizá, donde los tres amigos encontraban un entretenimiento más intenso y completo era en el río, del otro lado de la tasca de Quino, el Manco. Se abría, allí, un prado extenso, con una gran encina en el centro y, al fondo, una escarpada muralla de roca viva que los independizaba del resto del valle. Enfrente de la muralla se hallaba la Poza del Inglés y, unos metros más abajo, el río se deslizaba entre rocas y guijos de poco tamaño, a escasa profundidad. En esta zona pescaban cangrejos a mano, levantando con cuidado las piedras y apresando fuertemente a los animalitos por la parte más ancha del caparazón, mientras éstos se retorcían y abrían y cerraban patosamente sus pinzas en un postrer intento de evasión tesonero e inútil.

Otras veces, en la Poza del Inglés, pescaban centenares de pececillos que navegaban en bancos tan numerosos que, frecuentemente, las aguas negreaban por su abundancia. Bastaba arrojar a la poza una remanga con cualquier cebo artificial de tonos chillones para atraparlos por docenas. Lo malo fue que, debido al excesivo número y a la fácil captura, los muchachos empezaron por subestimarlos y acabaron despreciándolos del todo. Y otro tanto les ocurría con los ráspanos, las majuelas, las moras y las avellanas silvestres. Cooperaba no poco a fomentar este desdén el hecho de que don Moisés, el maestro, pusiera sus preferencias en los escolares que consumían bobamente sus horas libres recogiendo moras o majuelas para obsequiar con ellas a sus madres. O bien, pescando jaramugo. Y, por si esto fuera poco, estos mismos rapaces eran los que al final de curso obtenían diplomas, puntuaciones sobresalientes y menciones honoríficas. Roque, el Moñigo, Daniel, el Mochuelo, y Germán, el Tiñoso, sentían hacia ellos un desdén tan hondo por lo menos como el que les inspiraban las moras, las avellanas silvestres y el jaramugo.

En las tardes calurosas de verano, los tres amigos se bañaban en la Poza del Inglés. Constituía un placer inigualable sentir la piel en contacto directo con las aguas, refrescándose. Los tres nadaban a estilo perruno, salpicando y removiendo las aguas de tal manera que, mientras duraba la inmersión, no se barruntaba, en cien metros río abajo y otros tantos río arriba, la más insignificante señal de vida.

Una de estas tardes, mientras secaban sus cuerpecillos, tendidos al sol en el prado de la Encina, Daniel, el Mochuelo, y Germán, el Tiñoso, se enteraron, al fin, de lo que significaba tener el vientre seco y de lo que era un aborto. Tenían, entonces, siete y ocho años, respectivamente, y Roque, el Moñigo, se cubría con un remendado calzoncillo con lo de atrás delante y el Mochuelo y el Tiñoso se bañaban en cueros vivos porque todavía no les había nacido la vergüenza. Fue Roque, el Moñigo, quien se la despertó, y aquella misma tarde.

Sin saber aún por qué, Daniel, el Mochuelo, relacionaba todo esto con una conversación sostenida con su madre, cuatro años atrás, al mostrarle él la estampa de una exuberante vaca holandesa.

—Qué bonita, ¿verdad Daniel? Es una vaca lechera —dijo su madre.

El niño la miró estupefacto. Él no había visto leche más que en las perolas y los cántaros.

—No, madre, no es una vaca lechera; mira, no tiene cántaros —enmendó.

La madre reía silenciosamente de su ingenuidad. Le tomó en el regazo y aclaró:

—Las vacas lecheras no llevan cántaros, hijo.

Él la miró de frente para adivinar si le engañaba. Su madre se reía. Intuyó Daniel que algo, muy recóndito, había detrás de todo aquello. Aún no sabía que existiera «eso», porque sólo tenía tres años, pero en aquel instante lo presintió.

—¿Dónde llevan la leche entonces, madre? —indagó, ganado por un súbito afán de aclararlo todo.

Su madre se reía aún. Tartamudeó un poco, sin embargo, al contestarle:

—En... la barriga, claro —dijo.

Como una explosión retumbó la perplejidad del niño:

—¿Queeeeé?

—Que las vacas lecheras llevan la leche en la barriga, Daniel —agregó ella, y le apuntaba con la chata uña la ubre prieta de la vaca de la estampa.

Dudó un momento Daniel, el Mochuelo, mirando la ubre esponjosa; señaló el pezón.

—¿Y la leche sale por ese grano? —dijo.

—Sí, hijito, por ese grano sale.

Aquella noche, Daniel no pudo hablar ni pensar en otra cosa. Intuía en todo aquello un misterio velado para él, pero no para su madre. Ella se reía como no se reía otras veces, al preguntarle otras cosas. Paulatinamente, el Mochuelo se fue olvidando de aquello. Meses después, su padre compró una vaca. Más tarde conoció las veinte vacas del boticario y las vio ordeñar. Daniel, el Mochuelo, se reía mucho luego al solo pensamiento de que hubiera podido imaginar alguna vez que las vacas sin cántaros no daban leche.

Aquella tarde, en el prado de la Encina, junto al río, mientras el Moñigo hablaba, él se acordó de la estampa de la vaca holandesa. Acababan de chapuzarse y un vientecillo ahilado les secaba el cuerpo a fríos lengüetazos. Con todo, flotaba un calor excesivo y pegajoso en el ambiente. Tumbados boca arriba en la pradera, vieron pasar por encima un enorme pájaro.

—¡Mirad! —chilló el Mochuelo—. Seguramente será la cigüeña que espera la maestra de La Cullera. Va en esa dirección.

Cortó el Tiñoso:

—No es una cigüeña; es una grulla.

El Moñigo se sentó en la hierba frunciendo los labios en un gesto hosco y enfurruñado. Daniel, el Mochuelo, contempló con envidia cómo se inflaba y desinflaba su enorme tórax.

—¿Qué demonio de cigüeña espera la maestra? ¿Así andáis todavía? —dijo el Moñigo.

El Mochuelo y el Tiñoso se incorporaron también, sentándose en la hierba. Ambos miraban anhelantes al Moñigo; intuían que algo iba a decir de «eso». El Tiñoso le dio pie.

—¿Quién trae los niños, entonces? —dijo.

Roque, el Moñigo, se mantenía serio, consciente de su superioridad en aquel instante.

—El parir —dijo, seco, rotundo.

—¿El parir? —inquirieron, a dúo, el Mochuelo y el Tiñoso.

El otro remachó:

—Sí, el parir. ¿Visteis alguna vez parir a una coneja? —dijo.

—Sí.

—Pues es igual.

En la cara del Mochuelo se dibujó un cómico gesto de estupor.

—¿Quieres decir que todos somos conejos? —aventuró.

131

Al Moñigo le enojaba la torpeza de sus interlocutores.

—No es eso —dijo—. En vez de una coneja es una mujer; la madre de cada uno.

Brilló en las pupilas del Tiñoso un extraño resplandor de inteligencia.

—La cigüeña no trae los niños entonces, ¿verdad? Ya me parecía raro a mí —explicó—. Yo me decía, ¿por qué mi padre va a tener diez visitas de la cigüeña y la Chata, la vecina, ninguna y está deseando tener un hijo y mi padre no quería tantos?

El Moñigo bajó la voz. En torno había un silencio que sólo quebraban el cristalino chapaleo de los rápidos del río y el suave roce del viento contra el follaje. El Mochuelo y el Tiñoso tenían la boca abierta. Dijo el Moñigo:

—Les duele la mar, ¿sabéis?

Estalló el reticente escepticismo del Mochuelo:

—¿Por qué sabes tú esas cosas?

—Eso lo sabe todo cristiano menos vosotros dos, que vivís embobados —dijo el Moñigo—. Mi madre se murió de lo mucho que le dolía cuando nací yo. No se puso enferma ni nada; se murió de dolor. Hay veces que, por lo visto, el dolor no se puede resistir y se muere uno. Aunque no estés enfermo, ni nada; sólo es el dolor. —Emborrachado por la ávida atención del auditorio, añadió—: Otras mujeres se parten por la mitad. Se lo he oído decir a la Sara.

Germán, el Tiñoso, inquirió:

—Más tarde sí se ponen enfermas, ¿no es cierto?

El Moñigo acentuó el misterio de la conversación bajando aún más la voz:

—Se ponen enfermas al ver al niño —confesó—. Los niños nacen con el cuerpo lleno de vello y sin ojos, ni orejas, ni narices. Sólo tienen una boca muy grande para mamar. Luego les van naciendo los ojos, y las orejas, y las narices y todo.

Daniel, el Mochuelo, escuchaba las palabras del Moñigo todo estremecido y anhelante. Ante sus ojos se abría una nueva perspectiva que, al fin y al cabo, no era otra cosa que la justificación de la vida y la humanidad. Sintió una repentina vergüenza de hallarse enteramente desnudo al aire libre. Y, al tiempo, experimentó un amor remozado, vibrante e impulsivo hacia su madre. Sin él saberlo, notaba, por primera vez, dentro de sí, la emoción de la consanguinidad. Entre ellos había un vínculo, algo que hacía, ahora, de su madre una causa imprescindible, necesaria. La maternidad era más hermosa así; no se debía al azar, ni al capricho un poco absurdo de una cigüeña. Pensó Daniel, el Mochuelo, que de cuanto sabía de «eso», era esto lo que más le agradaba; el saberse consecuencia de un gran dolor y la coincidencia de que ese dolor no lo hubiera esquivado su madre porque deseaba tenerle precisamente a él.

Desde entonces, miró a su madre de otra manera, desde un ángulo más humano y simple, pero más sincero y estremecido también. Era una sensación extraña la que le embargaba en su presencia; algo así como si sus pulsos palpitasen al unísono, uniformemente; una impresión de paralelismo y mutua necesidad.

En lo sucesivo, Daniel, el Mochuelo, siempre que iba a bañarse a la Poza del Inglés, llevaba un calzoncillo viejo y remendado, como el Moñigo, y se ponía lo de atrás delante. Y, entonces, pensaba en lo feo que debía de ser él nada más nacer, con todo el cuerpo cubierto de vello y sin ojos, ni orejas, ni narices, ni nada... Sólo una bocaza enorme y ávida para mamar. «Como un topo», pensaba. Y el primer estremecimiento se transformaba al poco rato en una risa espasmódica y contagiosa.

VIII

Según Roque, el Moñigo, la Guindilla menor era una de las mujeres del pueblo que tenía el vientre seco. Esto, aunque de difícil comprobación, no suponía nada de particular porque las Guindillas, más o menos, lo tenían seco todo.

La Guindilla menor regresó al pueblo en el tranvía interprovincial a los tres meses y cuatro días, exactamente, de su fuga. El regreso, como antes la fuga, constituyó un acontecimiento en todo el valle, aunque, también, como todos los acontecimientos, pasó y se olvidó y fue sustituido por otro acontecimiento al que, a su vez, le ocurrió otro tanto y también se olvidó. Pero, de esta manera, iba elaborándose, poco a poco, la pequeña y elemental historia del valle. Claro que la Guindilla regresó sola, y a don Dimas, el del Banco, no se le volvió a ver el pelo, a pesar de que don José, el cura, prejuzgaba que no era mal muchacho. Bueno o malo, don Dimas se disolvió en el aire, como se disolvía, sin dejar rastro, el eco de las montañas.

Fue Cuco, el factor, quien primero llevó la noticia al pueblo. Después de la «radio» de don Ramón, el boticario, Cuco, el factor, era la compañía más codiciada del

134

lugar. Sus noticias eran siempre frescas y curiosas, aunque no siempre edificantes. Cuco, el factor, ostentaba una personalidad rolliza, pujante, expansiva y físicamente optimista. Daniel, el Mochuelo, lo admiraba; admiraba su carácter, sus conocimientos y la simplicidad con que manejaba y controlaba la salida, entrada y circulación de los trenes por el valle. Todo esto implicaba una capacidad; la ductilidad y el talento de organización de un factor no se improvisan.

Irene, la Guindilla menor, al apearse del tren, llevaba lágrimas en los ojos y parecía más magra y consumida que cuando marchó, tres meses antes. Aparentaba caminar bajo el peso de un fardo invisible que la obligaba a encorvarse por la cintura. Eran, sin duda, los remordimientos. Vestía como suelen vestir las mujeres viudas, muy viudas, toda enlutada y con una mantilla negra y tupida que le escamoteaba el rostro.

Había llovido durante el día y la Guindilla, al subir la varga, camino del pueblo, no se preocupaba de sortear los baches, antes bien parecía encontrar algún raro consuelo en la inmersión repetida de sus piececitos en los charcos y el fango de la carretera.

Lola, la Guindilla mayor, quedó pasmada al sorprender a su hermana, indecisa, a la puerta de la tienda. Se pasó la mano repetidamente por los ojos como queriendo disipar alguna mala aparición.

—Sí, soy yo, Lola —murmuró la menor—. No te extrañes. Aunque pecadora y todo, he vuelto. ¿Me perdonas?

—¡Por los siglos de los siglos! Ven aquí. Pasa —dijo la Guindilla mayor.

Desaparecieron las dos hermanas en la trastienda. Ya en ella, se contemplaron una a otra en silencio. La Guindilla menor se mantenía encogida y cabizbaja y humilla-

135

da. La mayor aparentaba haber engordado instantáneamente con el regreso y el arrepentimiento de la otra.

—¿Sabes lo que has hecho, Irene? —fue lo primero que le dijo.

—Calla, por favor —gimoteó la hermana, y se desplomó sobre el tablero de la mesa, llorando a moco tendido.

La Guindilla mayor respetó el llanto de su hermana. El llanto era necesario para lavar la conciencia. Cuando Irene se incorporó, las dos hermanas se miraron de nuevo a los ojos. Apenas precisaban de palabras para entenderse. La comprensión brotaba de lo inexpresado:

—Irene, ¿has...?

—He...

—¡Dios mío!

—Me engañó.

—¿Te engañó o te engañaste?

—Como quieras, hermana.

—¿Era tu marido cuando...?

—No... No lo es ahora, siquiera.

—¡Dios mío! ¿Esperas...?

—No. Él me dijo... él me dijo...

Se le rompió la voz en un sollozo. Se hizo otro silencio. Al cabo, la Guindilla mayor inquirió:

—¿Qué te dijo?

—Que era machorra.

—¡Canalla!

—Ya lo ves; no puedo tener hijos.

La Guindilla mayor perdió de repente los buenos modales y, con éstos, los estribos.

—Ya sabes lo que has hecho, ¿verdad? Has tirado la honra. La tuya, la mía y la de la bendita memoria de nuestros padres...

—No. Eso no, Lola, por amor de Dios.

—¿Qué otra cosa, entonces?

—Las mujeres feas no tenemos honra, desengáñate, hermana.

Decía esto con gesto resignado, aplanada por un inexorable convencimiento. Luego añadió:

—Él lo dijo así.

—La reputación de una mujer es más preciosa que la vida, ¿no lo sabías?

—Lo sé, Lola.

—¿Entonces?

—Haré lo que tú digas, hermana.

—¿Estás dispuesta?

La Guindilla menor agachó la cabeza.

—Lo estoy —dijo.

—Vestirás de luto el resto de tu vida y tardarás cinco años en asomarte a la calle. Ésas son mis condiciones, ¿las aceptas?

—Las acepto.

—Sube a casa, entonces.

La Guindilla mayor cerró con llave la puerta de la tienda y subió tras ella. Ya en su cuarto, la Guindilla menor se sentó en el borde de la cama; la mayor trajo una palangana con agua tibia y le lavó los pies. Durante esta operación permanecieron en silencio. Al concluir, la Guindilla menor suspiró y dijo:

—Ha sido un malvado, ¿sabes?

La Guindilla mayor no contestó. Le imbuía un seco respeto el ademán de desolación de su hermana. Ésta continuó:

—Quería mi dinero. El muy sinvergüenza creía que teníamos mucho dinero; un montón de dinero.

—¿Por qué no le dijiste a tiempo que entre las dos sólo sumábamos mil duros?

—Hubiera sido mi perdición, hermana. Me hubiera abandonado y yo estaba enamorada de él.

—Callar es lo que te ha perdido, loca.

137

—Lo gastó todo, ¿sabes?

—¿Qué?

—Vivió conmigo mientras duró el dinero. Se acabó el dinero, se acabó Dimas. Luego me dejó tirada como a una perdida. Dimas es un mal hombre, Lola. Es un hombre perverso y cruel.

Las escuálidas mejillas de la Guindilla mayor se encendieron aún más de lo que habitualmente estaban.

—Es un ladrón. Eso es lo que es. Igual, lo mismo que el otro Dimas —dijo.

Se quedó silenciosa al apagarse su arrebato. Repentinamente los escrúpulos empezaron a socavarle la conciencia. ¿Qué es lo que había dicho de Dimas, el buen ladrón? ¿No acogía el Señor esta clase de arrepentidos? La Guindilla mayor sintió un vivo remordimiento. «De todo corazón te pido perdón, Dios mío», se dijo. Y se propuso que al día siguiente, nada más levantarse, iría a reconciliarse con don José; él sabría perdonarla y consolarla. Esto era lo que la urgía: un poco de consuelo.

Se pasó, de nuevo, la mano por los ojos, tratando de desvanecer la pesadilla. Luego se sonó ruidosamente la larga nariz y dijo:

—Está bien, hermana; cámbiate de ropa. Yo vuelvo a la tienda. Cuando acabes puedes regar los geranios de la galería como hacías siempre antes de la desgracia. Mañana verás a don José. Has de lavar cuanto antes tu alma empecatada.

La Guindilla menor la interrumpió:

—¡Lola!

—¿Qué?

—Me da mucha vergüenza.

—¿Es que todavía te queda algo?

—¿De qué?

—De vergüenza.

Irene hizo un mohín de desesperación.

—No lo puedo remediar, hermana.

—Vergüenza debería haberte dado escaparte con un hombre desconocido. ¡Por Dios bendito que entonces no hiciste tanto remilgo!

—Es que don José, don José... es un santo, Lola, compréndelo. No entendería mi flaqueza.

—Don José comprende todas las flaquezas humanas, Irene. Dios está en él. Además, una buena confesión forma también parte de mis condiciones, ¿entiendes?

Se oyó el tintineo de una moneda contra los cristales de la tienda. La Guindilla mayor se impacientó:

—Vamos, decídete, hermana; llaman abajo.

Irene, la Guindilla menor, accedió, al fin:

—Está bien, Lola; mañana me confesaré. Estoy decidida.

La Guindilla mayor descendió a la tienda. Dio media vuelta a la llave y entró Catalina, la Lepórida. Ésta, al igual que sus hermanas, tenía el labio superior plegado como los conejos y su naricita se fruncía y distendía incesantemente como si incesantemente olisquease. Las llamaban, por eso, las Lepóridas. También las apodaban las Cacas, porque se llamaban Catalina, Carmen, Camila, Caridad y Casilda, y el padre había sido tartamudo.

Catalina se aproximó al mostrador.

—Una peseta de sal —dijo.

Mientras la Guindilla mayor la despachaba, ella alzó la carita de liebre hacia el techo y durante unos segundos vibraron nerviosamente las aletillas de su nariz.

—Lola, ¿es que tienes forasteros?

La Guindilla se cerró, hermética. Las Lepóridas eran las telefonistas del pueblo y conocían las noticias casi tan pronto como Cuco, el factor. Respondió cauta:

—No, ¿por qué?

—Parece que se oye ruido arriba.

139

—Será el gato.

—No, no; son pisadas.

—También el gato pisa.

—Entiéndeme, son pisadas de persona. No serán ladrones, ¿verdad?

La Guindilla mayor cortó:

—Toma, la sal.

La Lepórida miró de nuevo al techo, olisqueó el ambiente con insistencia y, ya en la puerta, se volvió:

—Lola, sigo oyendo pisadas arriba.

—Está bien. Vete con Dios.

Pocas veces la tienda de las Guindillas estuvo tan concurrida como aquella tarde y pocas veces también, de tan crecido número de clientes, salió una caja tan mezquina.

Rita, la Tonta, la mujer del zapatero, fue la segunda en llegar.

—Dos reales de sal —pidió.

—¿No la llevaste ayer?

—Puede. Quiero más.

Al cabo de una pausa, Rita, la Tonta, bajó la voz:

—Digo que tienes luz arriba. Estará corriendo el contador.

—¿Vas a pagármelo tú?

—Ni por pienso.

—Entonces déjalo que corra.

Llegaron después la Basi, la criada del boticario; Nuca, la del Chano; María, la Chata, que también tenía el vientre seco; Sara, la Moñiga; las otras cuatro Lepóridas; Juana, el ama de don Antonino, el marqués; Rufina, la de Pancho, que desde que se casó tampoco creía en Dios ni en los santos, y otras veinte mujeres más. Salvo las cuatro Lepóridas, todas iban a comprar sal y todas oían pisadas arriba o se inquietaban, al ver luz en los balcones, por la carrera del contador.

A las diez, cuando ya el pueblo se rendía al silencio, se oyó la voz potente, un poco premiosa y arrastrada de Paco, el herrero. Iba éste haciendo eses por la carretera y ante los balcones de las Guindillas se detuvo. Portaba una botella en la mano derecha y, con la izquierda, se rascaba incesantemente el cogote. Las frases que voceaba hubiesen resultado abstrusas e incoherentes si todo el pueblo no hubiera estado al cabo de la calle.

—¡Viva la hermana pródiga! ¡Viva la mujer de los muslos escurridos y el pecho de tabla!... —Hizo un cómico gesto de estupor, se rascó otra vez el cogote, eructó, volvió a mirar a los balcones y remató—: ¿Quién te robó el corazón? ¡Dimas, el buen ladrón!

Y se reía él solo, incrustando el poderoso mentón en el pecho gigantesco. Las Guindillas apagaron la luz y observaron al escandaloso por una rendija de la ventana. «Este perdido tenía que ser», murmuró Lola, la Guindilla mayor, al descubrir los destellos que el mortecino farolillo de la esquina arrancaba del pelo híspido y rojo del herrero. Cuando éste pronunció el nombre de Dimas, le entró una especie de ataque de nervios a la Guindilla menor. «Por favor, echa a ese hombre de ahí; que se vaya ese hombre, hermana. Su voz me vuelve loca», dijo. La Guindilla mayor agarró el cubo donde desaguaba el lavabo, entreabrió la ventana y vertió su contenido sobre la cara de Paco, el herrero, que en ese momento iniciaba un nuevo vítor:

—¡Vivan las...!

El remojón le cortó la frase. El borracho miró al cielo con gesto estúpido, extendió sus manazas poniéndose en cruz y murmuró para sí, al tiempo que avanzaba tambaleándose carretera adelante:

—Vaya, Paco, a casita. Ya está diluviando otra vez.

IX

Comprendía Daniel, el Mochuelo, que ya no le sería fácil dormirse. Su cabeza, desbocada hacia los recuerdos, en una febril excitación, era un hervidero apasionado, sin un momento de reposo. Y lo malo era que al día siguiente habría de madrugar para tomar el rápido que le condujese a la ciudad. Pero no podía evitarlo. No era Daniel, el Mochuelo, quien reclamaba a las cosas y al valle, sino las cosas y el valle quienes se le imponían, envolviéndole en sus rumores vitales, en sus afanes ímprobos, en los nimios y múltiples detalles de cada día.

Por la ventana abierta, frente a su camastro quejumbroso, divisaba la cresta del Pico Rando, hincándose en la panza estrellada del cielo. El Pico Rando asumía de noche una tonalidad mate y tenebrosa. Mandaba en el valle esta noche como había mandado en él a lo largo de sus once años, como mandaba en Daniel, el Mochuelo, y en Germán, el Tiñoso, su amigo Roque, el Moñigo. La pequeña historia del valle se reconstruía ante su mirada interna, ante los ojos de su alma, y los silbidos distantes de los trenes, los soñolientos mugidos de las vacas, los gritos lúgubres de los sapos bajo las piedras, los aromas húmedos y difusos de la tierra avivaban su nostalgia, ponían en sus recuerdos una nota de palpitante realidad.

Después de todo, esta noche era como tantas otras en el valle, sin ir más lejos como la primera vez que saltaron la tapia de la finca del Indiano para robarle las manzanas. Las manzanas, al fin y al cabo, no significaban nada para el Indiano, que en Méjico tenía dos restaurantes de lujo, un establecimiento de aparatos de radio y tres barcos de cabotaje. Tampoco para ellos significaban mucho las manzanas del Indiano, la verdad, puesto que todos ellos recogían buenas manzanas en los huertos de sus casas, bien mirado, tan buenas manzanas como las que tenía Gerardo, el Indiano, en los árboles de su finca. ¿Que por qué las robaban? Eso constituía una cuestión muy compleja. Quizá, simplificando, porque ninguno de ellos, entonces, rebasaba los nueve años y la emoción de lo prohibido imprimía a sus actos rapaces un encanto indefinible. Le robaban las manzanas al Indiano por la misma razón que en los montes, o en el prado de la Encina, después del baño, les gustaba hablar de «eso» y conjeturar sobre «eso», que era, no menos, el origen de la vida y su misterio.

Cuando Gerardo se fue del pueblo todavía no era el Indiano, era sólo el hijo más pequeño de la señora Micaela, la carnicera, y, según decía ésta, el más tímido de todos. La madre afirmaba que Gerardo «era el más tímido de todos», pero en el pueblo aseguraban que Gerardo antes de marchar era medio tonto y que en Méjico, si se iba allá, no serviría más que para bracero o cargador de muelle. Pero Gerardo se fue y a los veinte años de su marcha regresó rico. No hubo ninguna carta por medio, y cuando el Indiano se presentó en el valle, los gusanos ya se habían comido el solomillo, el hígado y los riñones de su madre, la carnicera.

Gerardo, que ya entonces era el Indiano, lloró un rato

en el cementerio, junto a la iglesia, pero no lloró con los mocos colgando como cuando pequeño, ni se le caía la baba como entonces, sino que lloró en silencio y sin apenas verter lágrimas, como decía el ama de don Antonino, el marqués, que lloraban en las ciudades los elegantes. Ello implicaba que Gerardo, el Indiano, se había transformado mucho. Sus hermanos, en cambio, seguían amarrados al lugar, a pesar de que, en opinión de su madre, eran más listos que él; César, el mayor, con la carnicería de su madre, vendiendo hígados, solomillos y riñones de vaca a los vecinos para luego, al cabo de los años, hacer lo mismo que la señora Micaela y donar su hígado, su solomillo y sus riñones a los gusanos de la tierra. Una conducta, en verdad, inconsecuente e inexplicable. El otro, Damián, poseía una labranza medianeja en la otra ribera del río. Total nada, unas obradas de pradera y unos lacios y barbudos maizales. Con eso vivía y con los cuatro cuartos que le procuraba la docena de gallinas que criaba en el corral de su casa.

Gerardo, el Indiano, en su primera visita al pueblo, trajo una mujer que casi no sabía hablar, una hija de diez años y un «auto» que casi no metía ruido. Todos, hasta el auto, vestían muy bien y cuando Gerardo dijo que allá, en Méjico, había dejado dos restaurantes de lujo y dos barcos de cabotaje, César y Damián le hicieron muchas carantoñas a su hermano y quisieron volverse con él, a cuidar cada uno de un restaurante y un barco de cabotaje. Pero Gerardo, el Indiano, no lo consintió. Eso sí, les montó en la ciudad una industria de aparatos eléctricos y César y Damián se fueron del valle, renegaron de él y de sus antepasados y sólo de cuando en cuando volvían por el pueblo, generalmente por la fiesta de la Virgen, y entonces daban buenas propinas y organizaban carreras de sacos y carreras de cintas y ponían cinco duros de premio en la punta de la cucaña. Y usaban sombreros planchados y cuello duro.

Los antiguos amigos de Gerardo le preguntaron cómo se había casado con una mujer rubia y que casi no sabía hablar, siendo él un hombre de importancia y posición como, a no dudar, lo era. El Indiano sonrió sin aspavientos y les dijo que las mujeres rubias se cotizaban mucho en América y que su mujer sí que sabía hablar, lo que ocurría era que hablaba en inglés porque era yanqui. A partir de aquí, Andrés, «el hombre que de perfil no se le ve», llamó «Yanqui» a su perro, porque decía que hablaba lo mismo que la mujer de Gerardo, el Indiano.

Gerardo, el Indiano, no renegó, en cambio, de su pueblo. Los ricos siempre se encariñan, cuando son ricos, por el lugar donde antes han sido pobres. Parece ser ésta la mejor manera de demostrar su cambio de posición y fortuna y el más viable procedimiento para sentirse felices al ver que otros que eran pobres como ellos siguen siendo pobres a pesar del tiempo.

Compró la casa de un veraneante, frente a la botica, la reformó de arriba abajo y pobló sus jardines de macizos estridentes y árboles frutales. De vez en cuando, venía por el pueblo a pasar una temporada. Últimamente reconoció ante sus antiguos amigos que las cosas le iban bien y que ya tenía en Méjico tres barcos de cabotaje, dos restaurantes de lujo y una representación de receptores de radio. Es decir, un barco de cabotaje más que la primera vez que visitó el pueblo. Lo que no aumentaban eran los hijos. Tenía sólo a la Mica —la llamaban Mica, tan sólo, aunque se llamaba como su abuela, pero, según decía el ama de don Antonino, el marqués, los ricos, en las ciudades, no podían perder el tiempo en llamar a las personas por sus nombres enteros— y la delgadez extremada de la yanqui, que también caía por el valle de ciento en viento, no daba ocasión a nuevas esperanzas. César y Damián hubieran preferido que, por no existir, no existiera ni la Mica, por más que cuando ella venía de América le regalaban flores y cartuchos de bombones y la llevaban a los mejores teatros y restaurantes de la ciudad. Esto decía, al menos, el ama de don Antonino, el marqués.

La Mica cogió mucho cariño al pueblo de su padre. Reconocía que Méjico no le iba y Andrés, el zapatero, argüía que se puede saber a ciencia cierta «si nos va» o «no nos va» un país cuando en él se dispone de dos restaurantes de lujo, una representación de aparatos de radio y tres barcos de cabotaje. En el valle, la Mica no disponía de eso y, sin embargo, era feliz. Siempre que podía hacía una escapada al pueblo y allí se quedaba mientras su padre no le ordenaba regresar. Últimamente, la Mica, que ya era una señorita, permanecía grandes temporadas en el pueblo estando sus padres en Méjico. Sus tíos Damián y César, a quienes en el pueblo decían «los Ecos del Indiano», velaban por ella y la visitaban de cuando en cuando.

Daniel, el Mochuelo, nació precisamente en el tránsito de los dos barcos de cabotaje a los tres barcos de cabotaje, es decir, cuando Gerardo, el Indiano, ahorraba para adquirir el tercer barco de cabotaje. Por entonces, la Mica ya tenía nueve años para diez y acababa de conocer el pueblo.

Pero cuando a Roque, el Moñigo, se le ocurrió la idea de robar las manzanas del Indiano, Gerardo ya tenía los tres barcos de cabotaje y la Mica, su hija, diecisiete años. Por estas fechas, Daniel, el Mochuelo, ya era capaz de discernir que Gerardo, el Indiano, había progresado, y bien, sin necesidad de estudiar catorce años y a pesar de que su madre, la Micaela, decía de él que era «el más tímido de todos» y que andaba por el pueblo todo el día de Dios con los mocos colgando y la baba en la barbilla.

Fuera o no fuera así, así lo contaban en el pueblo y no era cosa de recelar que existiera un acuerdo previo entre todos los vecinos para decir una cosa que no era cierta. Cuando saltaron la tapia del Indiano, Daniel, el Mochuelo, tenía el corazón en la garganta. En verdad, no sentía apetito de manzanas ni de ninguna otra cosa que no fuera tomar el pulso a una cosa prohibida. Roque, el Moñigo, fue el primero en dejarse caer del otro lado de la tapia. Lo hizo blandamente, con una armonía y una elegancia casi felinas, como si sus rodillas y sus ingles estuvieran montadas sobre muelles. Después les hizo señas con la mano, desde detrás de un árbol, para que se apresurasen. Pero lo único que se apresuraba de Daniel, el Mochuelo, era el corazón, que bailaba como un loco desatado. Notaba los miembros envarados y una oscura aprensión mermaba su natural osadía. Germán, el Tiñoso, saltó el segundo, y Daniel, el Mochuelo, el último.

En cierto modo, la conciencia del Mochuelo estaba tranquila. Las manías de la Guindilla mayor se le habían contagiado en las últimas semanas. Por la mañana había preguntado a don José, el cura, que era un gran santo:

—Señor cura, ¿es pecado robar manzanas a un rico?

Don José había meditado un momento antes de clavar sus ojillos, como puntas de alfileres, en él:

—Según, hijo. Si el robado es muy rico, muy rico, y el ladrón está en caso de extremada necesidad y coge una manzanita para no morir de hambre, Dios es comprensivo y misericordioso y sabrá disculparle.

Daniel, el Mochuelo, quedó apaciguado interiormente. Gerardo, el Indiano, era muy rico, muy rico, y, en cuanto a él, ¿no podía sobrevenirle una desgracia como a Pepe, el Cabezón, que se había vuelto raquítico por falta de vitaminas y don Ricardo, el médico, le dijo que comiera muchas manzanas y muchas naranjas si quería curarse? ¿Quién le aseguraba que si no comía las manzanas del Indiano no le acaecería una desgracia semejante a la que aquejaba a Pepe, el Cabezón?

Al pensar en esto, Daniel, el Mochuelo, se sentía más aliviado. También le tranquilizaba no poco saber que Gerardo, el Indiano, y la yanqui estaban en Méjico, la Mica con «los Ecos del Indiano» en la ciudad, y Pascualón, el del molino, que cuidaba de la finca, en la tasca del Chano disputando una partida de mus. No había, por tanto, nada que temer. Y, sin embargo, ¿por qué su corazón latía de este modo desordenado y se le abría un vacío acuciante en el estómago y se le doblaban las piernas por las rodillas? Tampoco había perros. El Indiano detestaba este medio de defensa. Tampoco, seguramente, timbres de alarma, ni resortes sorprendentes, ni trampas disimuladas en el suelo. ¿Por qué temer, pues?

Avanzaban cautelosamente, moviéndose entre las sombras del jardín, bajo un cielo alto, tachonado de estrellas diminutas. Se comunicaban por tenues cuchicheos y la hierba crujía suavemente bajo sus pies y este ambiente de roces imperceptibles y misteriosos susurros crispaba los nervios de Daniel, el Mochuelo.

—¿Y si nos oyera el boticario? —murmuró éste de pronto.

—¡Chist!

El contundente siseo de Roque, el Moñigo, le hizo callar. Se internaban en la huerta. Apenas hablaban ya sino por señas y las muecas nerviosas de Roque, el Moñigo, cuando tardaban en comprenderle, adquirían, en las medias tinieblas, unos tonos patéticos impresionantes.

Ya estaban bajo el manzano elegido. Crecía unos pies por detrás del edificio. Roque, el Moñigo, dijo:

—Quedaos aquí; yo sacudiré el árbol.

Y se subió a él sin demora. Las palpitaciones del corazón del Mochuelo se aceleraron cuando el Moñigo comenzó a zarandear las ramas con toda su enorme fuerza y los frutos maduros golpeaban la hierba con un repiqueteo ininterrumpido de granizada. Él y Germán, el Tiñoso, no daban abasto para recoger los frutos desprendidos. Daniel, el Mochuelo, al agacharse, abría la boca, pues a ratos le parecía que le faltaba el aire y se ahogaba. Súbitamente, el Moñigo dejó de zarandear el árbol.

—Mirad; está ahí el coche —murmuró, desde lo alto, con una extraña opacidad en la voz.

Daniel y el Tiñoso miraron hacia la casa en tinieblas. La aleta del coche negro del Indiano, que metía menos ruido aún que el primero que trajo al valle, rebrillaba tras la esquina de la vivienda. A Germán, el Tiñoso, le temblaron los labios al exigir:

—Baja aprisa; debe de estar ella.

Daniel, el Mochuelo, y Germán, el Tiñoso, se movían doblados por los riñones, para soportar mejor las ingentes brazadas de manzanas. El Mochuelo sintió un miedo inmenso de que alguien pudiera sorprenderle así. Apoyó con vehemencia al Tiñoso:

—Vamos, baja, Moñigo. Ya tenemos suficientes.

El temor les hacía perder la serenidad. La voz de Daniel, el Mochuelo, sonaba agitada, en un tono superior al simple murmullo. Roque, el Moñigo, quebró una rama con el peso del cuerpo al tratar de descender precipitadamente. El chasquido restalló como un disparo en aquella atmósfera queda de roces y susurros. Su excitación iba en aumento:

—¡Cuidado, Moñigo!

—Yo voy saliendo.

—¡Narices!

—Gallina el que salte la tapia primero.

No es fácil determinar de dónde surgió la aparición.

Daniel, el Mochuelo, después de aquello, se inclinaba a creer en brujas, duendes y fantasmas. Ella, la Mica, estaba ante ellos, alta y esbelta, embutida en un espectral traje blanco. En las densas tinieblas, su figura adquiría una presencia ultraterrena, algo parecido al Pico Rando, sólo que más vago y huidizo.

—Conque sois vosotros los que robáis las manzanas, ¿eh? —dijo.

Daniel, el Mochuelo, y Germán, el Tiñoso, fueron dejando resbalar los frutos, uno a uno, hasta el suelo. La consternación los agarrotaba. La Mica hablaba con naturalidad, sin destemplanza en el tono de voz:

—¿Os gustan las manzanas?

Tembló, un instante, en el aire, la amedrentada afirmación de Daniel, el Mochuelo:

—Siiií...

Se oyó la risa amortiguada de la Mica, como si brotase a impulsos de una oculta complacencia. Luego dijo:

—Tomad dos manzanas cada uno y venid conmigo.

La obedecieron. Los cuatro se encaminaron hacia el porche. Una vez allí, la Mica giró un conmutador, oculto tras una columna, y se hizo la luz. Daniel, el Mochuelo, agradeció que una columna piadosa se interpusiera entre la lámpara y su rostro abatido. La Mica, sin ton ni son, volvió a reír espontáneamente. A Daniel, el Mochuelo, le asaltó el temor de que fuera a entregarlos a la Guardia Civil.

Nunca había visto tan próxima a la hija del Indiano y su rostro y su silueta iban haciéndole olvidar por momentos la comprometida situación. Y también su voz, que parecía el suave y modulado acento de un jilguero. Su piel era tersa y tostada y sus ojos oscuros y sombreados por unas pestañas muy negras. Los brazos eran delgados y elásticos, y éstos y sus piernas, largas y esbeltas, ofrecían la tonalidad dorada de la pechuga del macho de perdiz. Al desplazarse, la ingravidez de sus movimientos producía la sensación de que podría volar y perderse en el espacio lo mismo que una pompa de jabón.

—Está bien —dijo, de pronto—. De modo que los tres sois unos ladronzuelos.

Daniel, el Mochuelo, se confesó que podría pasarse la vida oyéndole a ella decir que era un ladronzuelo y sin cansarse lo más mínimo. El decir ella «ladronzuelo» era lo mismo que si le acariciase las mejillas con las dos manos, con sus dos manos pequeñas, ligeras y vitales.

La Mica se recostó en una tumbona y su figura se estilizó aún más. Dijo:

—No voy a haceros nada esta vez. Voy a dejaros marchar. Pero vais a prometerme que en lo sucesivo si queréis manzanas me las pediréis a mí y no saltaréis la tapia furtivamente, como si fuerais ladrones.

Los miró, uno tras otro, y todos asintieron con la cabeza.

—Ahora podéis iros —concluyó.

Los tres amigos salieron, en silencio, por el portón a la carretera. Anduvieron unos pasos sin cambiar palabra. Su silencio era pesado y macizo, impuesto por la secreta conciencia de que si aún andaban sueltos por el mundo se debía, más que a su propia habilidad y maña, al favor y la compasión del prójimo. Esto, y más en la infancia, siempre resulta un poco deprimente.

Roque, el Moñigo, miró de refilón al Mochuelo. Caminaba éste con la boca abierta y los ojos ausentes, como en éxtasis. El Moñigo le zarandeó por un brazo y dijo:

—¿Qué te pasa, Mochuelo? Estás como alelado.

Y, sin esperar respuesta, arrojó con fuerza sus dos manzanas contra los bultos informes y oscuros que pastaban pacientemente en el prado del boticario.

X

La amistad del Moñigo forzaba, a veces, a Daniel, el Mochuelo, a extremar su osadía y a poner a prueba su valor. Lo malo era que el Moñigo entendía que el valor de un hombre puede cambiar de la noche a la mañana, como la lluvia o el viento. Hoy podía ser uno un valiente y mañana un bragazas, o a la inversa. Todo dependía de que uno se aviniera o no a realizar las mismas proezas que Roque, el Moñigo, realizaba cada día.

—Gallina el que no haga esto —los conminaba una y otra vez.

Y Daniel, el Mochuelo, y Germán, el Tiñoso, se veían forzados a atravesar el puente por la acitara —quince centímetros de anchura— o a dejarse arrastrar y hundir por la violencia del Chorro, para ir a reaparecer, empujados por la corriente de fondo, en la Poza del Inglés, o a cruzarse, dentro del túnel, con el tranvía interprovincial.

Con frecuencia, Daniel, el Mochuelo, que, por otra parte, no había de violentarse demasiado para imitar las proezas del Moñigo, se despertaba en la alta noche sobresaltado, asiéndose crispadamente al jergón de la cama. Respiraba hondo. No estaba hundido, como soñaba, bajo el Chorro, ni le arrastraban dando tumbos los hierros del tren, ni se había despeñado por la acitara y volaba a estrellarse contra las rocas del río. Se hallaba bien, cómodamente instalado en su cama de hierro, y, de momento, no había nada que temer.

Desde este punto de vista, suponían una paz inusitada los días de lluvia, que en el valle eran frecuentes, por más que según los disconformes todo andaba patas arriba desde hacía unos años y hasta los pastos se perdían ahora —lo que no había acaecido nunca— por falta de agua. Daniel, el Mochuelo, ignoraba cuánto podía llover antes en el valle; lo que sí aseguraba es que ahora llovía mucho; puestos a precisar, tres días de cada cinco, lo que no estaba mal.

Si llovía, el valle transformaba ostensiblemente su fisonomía. Las montañas asumían unos tonos sombríos y opacos, desleídos entre la bruma, mientras los prados restallaban en una reluciente y verde y casi dolorosa estridencia. El jadeo de los trenes se oía a mayor distancia y las montañas se peloteaban con sus silbidos hasta que éstos desaparecían, diluyéndose en ecos cada vez más lejanos, para terminar en una resonancia tenue e imperceptible. A veces, las nubes se agarraban a las montañas y las crestas de éstas emergían como islotes solitarios en un revuelto y caótico océano gris.

En el verano, las tormentas no acertaban a escapar del cerco de los montes y, en ocasiones, no cesaba de tronar en tres días consecutivos.

Pero el pueblo ya estaba preparado para estos accesos. Con las primeras gotas salían a relucir las almadreñas y su cluac-cluac, rítmico y monótono, se escuchaba a toda hora en todo el valle, mientras persistía el temporal. A juicio de Daniel, el Mochuelo, era en estos días, o durante las grandes nevadas de Navidad, cuando el valle encontraba su adecuada fisonomía. Era, el suyo, un valle de precipitaciones, húmedo y triste, melancólico, y su languidez y apatía características desaparecían con el sol y con los horizontes dilatados y azules.

Para los tres amigos, los días de lluvia encerraban un encanto preciso y peculiar. Era el momento de los proyectos, de los recuerdos y de las recapacitaciones. No creaban, rumiaban; no accionaban, asimilaban. La charla, a media voz, en el pajar del Mochuelo, tenía la virtud de evocar, en éste, los dulces días invernales, junto al hogar, cuando su padre le contaba la historia del profeta Daniel o su madre se reía porque él pensaba que las vacas lecheras tenían que llevar cántaros.

Sentados en el heno, divisando la carretera y la vía férrea por el pequeño ventanuco frontal, Roque, el Moñigo, Daniel, el Mochuelo, y Germán, el Tiñoso, hilvanaban sus proyectos.

Fue uno de estos días y en el pajar de su casa, cuando Daniel, el Mochuelo, adquirió una idea concreta de la fortaleza de Roque, el Moñigo, y de lo torturador que debía resultar para un hombre no tener en el cuerpo una sola cicatriz. Ocurrió una tarde de verano, mientras la lluvia tamborileaba en el tejado de pizarra de la quesería y el valle se difuminaba bajo un cielo pesado, monótono y gris.

Mas el Moñigo no se conformaba con que la evidencia de su musculatura le entrase por los ojos:

—Mira; toca, toca —dijo.

Y flexionó el brazo, que se transformó en un manojo informe de músculos y tendones retorcidos. El Mochuelo adelantó tímidamente la yema de un dedo y tocó.

—Duro, ¿verdad?

—Ya lo creo.

—Pues mira aquí.

Se alzó el pantaloncillo de pana hasta el muslo y tensó la pierna, que adquirió la rigidez de un garrote:

—Mira; toca, toca.

Y de nuevo el dedo del Mochuelo, seguido a corta distancia por el del Tiñoso, tentó aquel portentoso juego de músculos.

—Más duro que el brazo, ¿no?

—Más duro.

Luego se descubrió el tórax y les hizo tocar también y contaban hasta doscientos sin que el Moñigo deshinchase el pecho y tuviera que hacer una nueva inspiración. Después, el Moñigo les exigió que probasen ellos. El Tiñoso no resistió más que hasta cuarenta sin tomar aire y el Mochuelo, después de un extremoso esfuerzo que lo dejó amoratado, alcanzó la cuenta de setenta.

A continuación, el Moñigo se tumbó boca abajo y con las palmas de las manos apoyadas en el suelo fue levantando el cuerpo una y otra vez. Al llegar a la flexión sesenta lo dejó y les dijo:

—No he tenido nunca la paciencia de ver las que aguanto. Anteanoche hice trescientas veintiocho y no quise hacer más porque me entró el sueño.

El Mochuelo y el Tiñoso lo miraron abrumados. Aquel alarde superaba cuanto ellos hubieran podido imaginar respecto a las facultades físicas de su amigo.

—A ver tú las que aguantas, Mochuelo —le dijo de repente a Daniel.

—Si no sé... No he probado nunca.

—Prueba ahora.

—El caso es...

El Mochuelo acabó tumbándose e intentando la primera flexión. Empero sus bracitos no estaban habituados al ejercicio y todo su cuerpo temblaba estremecido por el insólito esfuerzo muscular. Levantó primero el trasero y luego la espalda.

—Una —cantó, con entusiasmo, y de nuevo se desplomó, pesadamente, sobre el pavimento.

El Moñigo dijo:

—No; no es eso. Levantando el culo primero no tiene mérito; así me hago yo un millón.

Daniel, el Mochuelo, desistió de la prueba. El hecho de haber defraudado a su amigo después de aquel inmoderado esfuerzo le dejó muy abatido.

Tras el frustrado intento de flexión del Mochuelo se hizo un silencio en el pajar. El Moñigo tornaba a retorcer el brazo y los músculos bailaban en él, flexibles y relevantes. Mirando su brazo, se le ocurrió al Mochuelo decir:

—Tú podrás a algunos hombres, ¿verdad, Moñigo?

Todavía Roque no había vapuleado al músico en la romería. El Moñigo sonrió con suficiencia. Después aclaró:

—Claro que puedo a muchos hombres. Hay muchos hombres que no tienen más cosa dura en el cuerpo que los huesos y el pellejo.

Al Tiñoso se le redondeaban los ojos de admiración. El Mochuelo se recostó plácidamente sobre el montón de heno, sintiendo a su lado la consoladora protección de Roque. Aquella amistad era una sólida garantía por más que su madre, la Guindilla mayor y las Lepóridas se empeñasen en considerar la compañía de Roque, el Moñigo, como un mal necesario.

Pero la tertulia de aquella tarde acabó donde acababan siempre aquellas tertulias en el pajar de la quesería los días lluviosos: en una competencia. Roque se remangó el pantalón izquierdo y mostró un círculo de piel arrugada y débil:

—Mirad qué forma tiene hoy la cicatriz; parece una coneja.

El Mochuelo y el Tiñoso se inclinaron sobre la pierna del amigo y asintieron:

—Es cierto; parece una coneja.

A Daniel, el Mochuelo, le contristó el rumbo que tomaba la conversación. Sabía que aquellos prolegómenos degenerarían en una controversia sobre cicatrices. Y lo que más abochornaba a Daniel, el Mochuelo, a los ocho años, era no tener en el cuerpo ni una sola cicatriz que poder parangonar con las de sus amigos. Él hubiera dado diez años de vida por tener en la carne una buena cicatriz. La carencia de ella le hacía pensar que era menos hombre que sus compañeros que poseían varias cicatrices en el cuerpo. Esta sospecha le imbuía un nebuloso sentimiento de inferioridad que le desazonaba. En realidad, no era suya la culpa de tener mejor encarnadura que el Moñigo y el Tiñoso y de que las frecuentes heridas se le cerrasen sin dejar rastro, pero el Mochuelo no lo entendía así y para él suponía una desgracia tener el cuerpo todo liso, sin una mala arruga. Un hombre sin cicatriz era, a su ver, como una niña buena y obediente. Él no quería una cicatriz de guerra ni ninguna gollería: se conformaba con una cicatriz de accidente o de lo que fuese, pero una cicatriz.

La historia de la cicatriz de Roque, el Moñigo, se la sabían de memoria. Había ocurrido cinco años atrás, durante la guerra. Daniel, el Mochuelo, apenas se acordaba de la guerra. Tan sólo tenía una vaga idea de haber oído zumbar los aviones por encima de su cabeza y del estampido seco, demoledor, de las bombas al estallar en los prados. Cuando la aviación sobrevolaba el valle, el pueblo entero corría a refugiarse en el bosque: las madres agarradas a sus hijos y los padres apaleando al ganado remiso hasta abrirle las carnes.

En aquellos días, la Sara huía a los bosques llevando de la mano a Roque, el Moñigo. Pero éste no sentía tampoco temor de los aviones, ni de las bombas. Corría porque veía correr a todos y porque le divertía pasar el tiempo tontamente, todos reunidos en el bosque, acampados allí, con el ganado y los enseres, como una cuadrilla de gitanos. Roque, el Moñigo, tenía entonces seis años.

Al principio, las campanas de la iglesia avisaban del cese del peligro con tres repiques graves y dos agudos. Más tarde, se llevaron las campanas para fundirlas y en el pueblo estuvieron sin campanas hasta que, concluida la guerra, regaló una nueva don Antonino, el marqués. Hubo ese día una fiesta sonada en el valle, como homenaje del pueblo al donante. Hablaron el señor cura y el alcalde, que entonces era Antonio, el Buche. Al final, don Antonino, el marqués, dio las gracias a todos y le temblaba la voz al hacerlo. Total nada, que don José y el alcalde emplearon media hora cada uno para dar las gracias a don Antonino, el marqués, por la campana, y don Antonino, el marqués, habló durante otra media hora larga, sólo para devolver las gracias que acababan de darle. Resultó todo demasiado cordial, discreto y comedido.

Pero la herida de Roque, el Moñigo, era de una esquirla de metralla. Se la produjo una bomba al estallar en un prado cuando, una mañana de verano, huía precipitadamente al bosque con la Sara. Los más listos del pueblo decían que el percance se debió a una bomba perdida, que fue lanzada por el avión para «quitar peso». Mas Roque, el Moñigo, recelaba que el peso que había tratado de quitar el avión era el suyo propio. De todas maneras, Roque, el Moñigo, agradecía al aviador aquel medallón de carne retorcida que le había dejado en el muslo.

Continuaban los tres mirando la cicatriz que parecía, por la forma, una coneja. Roque, el Moñigo, se inclinó de repente y la lamió con la punta de la lengua. Tras un rápido paladeo, afirmó:

—Sigue sabiendo salada. Dice Lucas, el Mutilado, que es por el hierro. Las cicatrices de hierro saben siempre saladas. Su muñón también sabe salado y el de Quino, el Manco, también. Luego, con los años, se quita ese sabor.

Daniel, el Mochuelo, y Germán, el Tiñoso, le escuchaban escépticos. Roque, el Moñigo, receló de su incredulidad. Acercó la pierna a ellos e invitó:

—Probad, veréis como no os engaño.

El Mochuelo y el Tiñoso cambiaron unas miradas vacilantes. Al fin, el Mochuelo se inclinó y rozó la cicatriz con la punta de la lengua.

—Sí, sabe salada —confirmó.

El Tiñoso lamió tras él y asintió con la cabeza. Después dijo:

—Sí, es cierto que sabe salada, pero no es por el hierro, es por el sudor. Probad mi oreja, veréis cómo también sabe salada.

Daniel, el Mochuelo, interesado en el asunto, se aproximó al Tiñoso y le lamió el lóbulo dividido de la oreja.

—Es verdad —dijo—. También la oreja del Tiñoso sabe salada.

—¿A ver? —inquirió dubitativo el Moñigo.

Y deseoso de zanjar el pleito, chupó con avidez el lóbulo del Tiñoso con la misma fruición que si mamase. Al terminar, su rostro expresó un profundo desencanto.

—Es cierto que sabe salada también —dijo—. Eso es que te dañaste con la cerca de alambre y no con la púa de una zarzamora como creías.

—No —saltó el Tiñoso, airado—; me rasgué la oreja con la púa de una zarzamora. Estoy bien seguro.

—Eso crees tú.

Germán, el Tiñoso, no se daba por vencido. Agachó la cabeza a la altura de la boca de sus compañeros.

—¿Y mis calvas, entonces? —dijo con terca insistencia—. También saben saladas. Y mis calvas no me las hice con ningún hierro. Me las pegó un pájaro.

159

El Moñigo y el Mochuelo se miraron atónitos, pero, uno tras otro, se inclinaron sobre la morena cabeza de Germán, el Tiñoso, y lamieron una calva cada uno. Daniel, el Mochuelo, reconoció enseguida:

—Sí saben saladas.

Roque, el Moñigo, no dio su brazo a torcer:

—Pero eso no es una cicatriz. Las calvas no son cicatrices. Ahí no tuviste herida nunca. Nada tiene que ver que sepan saladas.

Y el ventanuco iba oscureciéndose y el valle se tornaba macilento y triste, y ellos seguían discutiendo sin advertir que se hacía de noche y que sobre el tejado de pizarra repiqueteaba aún la lluvia y que el tranvía interprovincial subía ya afanosamente vía arriba, soltando, de vez en cuando, blancos y espumosos borbotones de humo, y Daniel, el Mochuelo, se compungía pensando que él necesitaba una cicatriz y no la tenía, y, si la tuviera, quizá podría dilucidar la cuestión sobre si las cicatrices sabían saladas por causa del sudor, como afirmaba el Tiñoso, o por causa del hierro, como decían el Moñigo y Lucas, el Mutilado.

XI

Roque, el Moñigo, dejó de admirar y estimar a Quino, el Manco, cuando se enteró de que éste había llorado hasta hartarse el día que se murió su mujer. Porque Quino, el Manco, además de la mano, había perdido a su mujer, la Mariuca. Y no sería porque no se lo avisaran. Más que nadie la Josefa, que estaba enamorada de él, y se lo restregaba por las narices a la menor oportunidad, muchas veces sin esperar la oportunidad siquiera.

—Quino, piénsatelo. Mira que la Mariuca está tísica perdida.

Quino, el Manco, se sulfuraba.

—¿Y a ti qué diablos te importa, si puede saberse? —decía.

La Josefa tragaba bilis y lo dejaba. Por la noche lloraba, a solas, en su alcoba, hasta empapar la almohada y se juraba no volver a intervenir en el asunto. Mas a la mañana siguiente olvidaba su determinación. Le gustaba demasiado Quino, el Manco, para abandonar el campo sin quemar el último cartucho. Le gustaba porque era todo un hombre: fuerte, serio y cabal. Fuerte, sin ser un animal como Paco, el herrero; serio, sin llegar al escepticismo,

161

como Pancho, el Sindiós, y cabal, sin ser un santo, como don José, el cura, lo era. En fin, lo que se dice un hombre equilibrado, un hombre que no pecaba por exceso ni por defecto, un hombre en el fiel.

Quino, en realidad, no creía en la tuberculosis. El mundo, para él, se componía de delgados y gordos. Mariuca era delgada, como delgados eran doña Lola y doña Irene, las Guindillas y Andrés, el zapatero. Y él era gordo como lo era Cuco, el factor. Pero eso no quería decir que los otros estuvieran enfermos y ellos sanos. De la Mariuca decían que estaba tísica desde que nació, pero ahí la tenían con sus veintitrés años, lozana y fresca como una flor.

Quino se acercó a ella sugestionado más que enamorado. Su natural tendencia le inclinaba a las hembras rollizas, de formas calientes, caídas por su propio peso, y exuberantes. Concretamente, hacia mujeres como la Josefa, duras, densas y apelmazadas. Pero Quino, el Manco, reflexionaba así: «En las ciudades, los señoritos se casan con las hembras flacas. Algo especial tendrán las flacas cuando los señoritos que tienen estudios y talento las buscan así.» Y se arrimó a la Mariuca porque era flaca. A los pocos días, sí se enamoró. Se enamoró ciegamente de ella porque tenía la mirada triste y sumisa como un corderillo y la piel azulada y translúcida como la porcelana. Se entendieron. A la Mariuca le gustaba Quino, el Manco, porque era su antítesis: macizo, vigoroso, corpulento y con unos ojos agudos y punzantes como bisturíes.

Quino, el Manco, decidió casarse y los vecinos se le echaron encima: «La Mariuca está delicada.» «La Mariuca está enferma.» «La tisis es mala compañera.» Pero Quino, el Manco, saltó por encima de todo y una mañana esplendente de primavera se presentó a la puerta de la iglesia embutido en un traje de paño azul y con un pañuelo blanco anudado al cuello. Don José, el cura, que era un gran santo, los bendijo. La Mariuca le puso la alianza en el dedo anular de la mano izquierda, porque Quino, el Manco, tenía seccionada la derecha.

La Josefa, a pesar de todo, no logró amargarle la luna de miel. La Josefa se propuso que le pesara toda la vida sobre la conciencia la sombra de su desgracia. Pero no lo consiguió.

En la iglesia, durante la primera amonestación, saltó como una pantera, gritando, mientras corría hacia el altar de san Roque y poniendo al santo por testigo, que la Mariuca y Quino, el Manco, no podían casarse porque ella estaba tísica. Hubo, primero, un revuelo y, luego, un silencio hecho de cien silencios, en el templo. Mas don José conocía mejor que ella los impedimentos y todo el Derecho Canónico.

—Hija —dijo—, la ley del Señor no prohíbe a los enfermos contraer matrimonio. ¿Has entendido?

La Josefa, desesperada, se arrojó sobre las gradas del presbiterio y comenzó a llorar como una loca, mesándose los cabellos y pidiendo compasión. Todos la compadecían, pero resultaba inoperante fabricar, en un momento, otro Quino. Desde los bancos del fondo, donde se ponían los hombres, el Manco sonreía tristemente y se daba golpes amistosos con el muñón en la barbilla. La Guindilla mayor, al ver que don José vacilaba, no sabiendo qué partido tomar, se adelantó hasta la Josefa y la sacó del templo, tomándola compasivamente por las axilas. (La Guindilla mayor pretendió, luego, que don José, el cura, dijese otra misa en atención a ella, ya que entre sacar a la Josefa de la iglesia y atenderla unos momentos en el atrio se le pasó el Sanctus. Y ella afirmaba que no se iba a quedar sin misa por hacer una obra de caridad, y que eso no era justo, ni razonable, ni lógico, ni moral, y que la comían por dentro los remordimientos y que era la primera vez que le ocurría en su vida... A duras penas don José logró apaciguarla y devolverle su inestable paz de conciencia.) Después continuó el Santo Sacrificio como si nada, pero al domingo siguiente no faltó a misa ni Pancho, el Sindiós, que se coló subrepticiamente en el coro, tras el armonio. Y lo que pasa. Aquel día, don José leyó las amonestaciones y no ocurrió nada. Tan sólo, al pronunciar el cura el nombre de Quino, surgió un suspiro ahogado del banco que ocupaba la Josefa. Pero nada más. Pancho, el Sindiós, dijo, al salir, que la piedad era inútil, un trasto, que en aquel pueblo no se sacaba nada en limpio siendo un buen creyente y que, por lo tanto, no volvería a la iglesia.

Lo gordo aconteció durante el refresco el día de la boda, cuando nadie pensaba para nada en la Josefa. Que nadie pensara en ella debió de ser el motivo que la empujó a llamar la atención de aquella bárbara manera. De todos modos fue aquello una oscura y dolorosa contingencia.

Su grito se oyó perfectamente desde el corral de Quino, el Manco, donde se reunían los invitados. El grito provenía del puente y todos miraron hacia el puente. La Josefa, toda desnuda, estaba subida al pretil, de cara al río, y miraba la fiera corriente con ojos desencajados. Todo lo que se les ocurrió a las mujeres para evitar la catástrofe fue gritar, redondear los ojos y desmayarse. Dos hombres echaron a correr hacia ella, según decían para contenerla, pero sus esposas les ordenaron acremente volverse atrás, porque no querían que sus maridos vieran de cerca a la Josefa toda desnuda. Entre estas dudas y vacilaciones, la Josefa volvió a gritar, levantó los brazos, puso los ojos en blanco y se precipitó en la oscura corriente de El Chorro.

Acudieron allá todos menos los novios. Al poco tiempo regresó a la taberna el juez. Quino, el Manco, decía en ese momento a la Mariuca:

—Esa Josefa es una burra.

—Era... —corrigió el juez.

Por eso supieron la Mariuca y Quino, el Manco, que la Josefa se había matado.

Para enterrarla en el pequeño camposanto de junto a la iglesia hubo sus más y sus menos, pues don José no se avenía a dar entrada en él a una suicida y no lo consintió sin antes consultar al Ordinario. Al fin llegaron noticias de la ciudad y todo se arregló, pues, por lo visto, la Josefa se había suicidado en un estado de enajenación mental transitorio.

Pero ni la sombra de la Josefa bastó para enturbiar las mieles de Quino en su viaje de bodas. Los novios pasaron una semana en la ciudad y de regreso le faltó tiempo a la Mariuca para anunciar a los cuatro vientos que estaba encinta.

—¿Tan pronto? —la preguntó la Chata, que no se explicaba cómo unas mujeres quedaban embarazadas por acostarse una noche con un hombre y otras no, aunque se acostasen con un hombre todas las noches de su vida.

—Anda ésta. ¿Qué tiene la cosa de particular? —dijo, azorada, la Mariuca.

Y la Chata masculló una palabrota por dentro.

El proceso de gestación de la criatura no fue normal. A medida que se le abultaba el vientre a la Mariuca se le afilaba la cara de un modo alarmante. Las mujeres comenzaron a murmurar que la chica no aguantaría el parto.

El parto sí lo aguantó, pero se quedó en el sobreparto. Murió tísica a la semana y media de dar a luz y dio a luz a los cinco meses justos de suicidarse la Josefa.

Las comadres del pueblo empezaron a explicarse entonces la precipitación de la Mariuca por pregonar su estado, aun antes de apearse del tren que la trajo de la ciudad.

Quino, el Manco, según decían, pasó la noche solo, llorando junto al cadáver, con la niñita recién nacida en los brazos y acariciando tímidamente, con el retorcido muñón, las lacias e inertes melenas rubias de la difunta.

La Guindilla mayor, al enterarse de la desgracia, hizo este comentario:

—Eso es un castigo de Dios por haber comido el cocido antes de las doce.

Se refería a lo del alumbramiento prematuro, pero el ama de don Antonino, el marqués, tenía razón al comentar que seguramente no era aquello un castigo de Dios, puesto que Irene, la Guindilla menor, había comido no sólo el cocido, sino la sopa también antes de las doce, y nada le había ocurrido.

En aquella época, Daniel, el Mochuelo, sólo contaba dos años, y cuatro Roque, el Moñigo. Cinco después empezaron a visitar a Quino de regreso del baño en la Poza del Inglés, o de pescar cangrejos o jaramugo. El Manco era todo generosidad y les daba un gran vaso de sidra de barril por una perra chica. Ya entonces la tasca de Quino marchaba pendiente abajo. El Manco devolvía las letras sin pagar y los proveedores le negaban la mercancía. Gerardo, el Indiano, lo afianzó varias veces, pero como no observara en Quino afán alguno de enmienda, pasados unos meses lo abandonó a su suerte. Y Quino, el Manco, empezó a ir de tumbo en tumbo, de mal en peor. Eso sí, él no perdía la locuacidad y continuaba regalando de lo poco que le quedaba.

Roque, el Moñigo, Germán, el Tiñoso, y Daniel, el Mochuelo, solían sentarse con él en el banco de piedra rayano a la carretera. A Quino, el Manco, le gustaba charlar con los niños más que con los mayores, quizá porque él, a fin de cuentas, no era más que un niño grande también. En ocasiones, a lo largo de la conversación, surgía el nombre de la Mariuca, y con él el recuerdo, y a Quino, el Manco, se le humedecían los ojos y, para disimular la emoción, se propinaba golpes reiteradamente con el muñón en la barbilla. En estos casos, Roque, el Moñigo, que era enemigo de lágrimas y de sentimentalismos, se levantaba y se largaba sin decir nada llevándose a los dos amigos cosidos a los pantalones. Quino, el Manco, los miraba estupefacto, sin comprender nunca el motivo que impulsaba a los rapaces para marchar tan repentinamente de su lado, sin exponer una razón.

Jamás Quino, el Manco, se vanaglorió con los tres pequeños de que una mujer se hubiera matado desnuda por él. Ni aludió tan siquiera a aquella contingencia de su vida. Si Daniel, el Mochuelo, y sus amigos sabían que la Josefa se lanzó corita al río desde el puente, era por Paco, el herrero, que no disimulaba que le había gustado aquella mujer y que, si ella hubiese accedido, sería, a estas alturas, la segunda madre de Roque, el Moñigo. Pero si ella prefirió la muerte a su enorme tórax y su pelo rojo, con su pan se lo comiera.

Lo que más avivaba la curiosidad de los tres amigos, en los tiempos en que en la taberna de Quino se despachaba un gran vaso de sidra de barril por cinco céntimos, era conocer la causa por la que al Manco le faltaba una mano. Constituía la razón una historia sencilla que el Manco relataba con sencillez.

—Fue mi hermano, ¿sabéis? —decía—. Era leñador. En los concursos ganaba siempre el primer premio. Partía un grueso tronco en pocos minutos, antes que nadie. Él quería ser boxeador.

La vocación del hermano de Quino, el Manco, acrecía la atención de los rapaces. Quino proseguía:

—Claro que esto no sucedió aquí. Sucedía en Vizcaya hace quince años. No está lejos Vizcaya, ¿sabéis? Más allá de estos montes —y señalaba la cumbre fosca, empenachada de bruma, del Pico Rando—. En Vizcaya todos los hombres quieren ser fuertes y muchos lo son. Mi hermano era el más fuerte del pueblo, por eso quería ser boxeador; porque les ganaba a todos. Un día, me dijo: «Quino, aguántame este tronco, que voy a partirlo de cuatro hachazos.» Esto me lo pedía con frecuencia, aunque nunca partiera los troncos de cuatro hachazos. Era un decir. Aquel día se lo aguanté firme, pero en el momento de descargar el golpe, yo adelanté la mano para hacerle una advertencia y ¡zas! —Las tres caritas infantiles expresaban, en este instante, un mismo nivel emocional. Quino, el Manco, se miraba cariñosamente el muñón y sonreía—: La mano saltó a cuatro metros de distancia, como una astilla —continuaba—. Y cuando yo mismo fui a recogerla, todavía estaba caliente y los dedos se retorcían solos, nerviosamente, como la cola de una lagartija.

El Moñigo temblaba al preguntarle:

—¿Te... te importa enseñarme de cerca el muñón, Manco?

Quino adelantaba el brazo, sonriente:

—Al contrario —decía.

Los tres niños, animados por la amable concesión del Manco, miraban y remiraban la incompleta extremidad, la sobaban, introducían las uñas sucias por las hendiduras de la carne, se hacían uno a otro indicaciones y, al fin, dejaban el muñón sobre la mesa de piedra como si se tratara de un objeto ya inútil.

La Mariuca, la niña, se crió con leche de cabra y el mismo Quino le preparó los biberones hasta que cumplió el año. Cuando la abuela materna le insinuó una vez que ella podía hacerse cargo de la niña, Quino, el Manco, lo tomó tan a pecho y se irritó de tal modo que él y su suegra ya no volvieron a dirigirse la palabra. En el pueblo aseguraban que Quino había prometido a la difunta no dejar a la criatura en manos ajenas aunque tuviera que criarla en los propios pechos. Esto le parecía a Daniel, el Mochuelo, una evidente exageración.

A la Mariuca-uca, como la llamaban en el pueblo para indicar que era una consecuencia de la Mariuca difunta, la querían todos a excepción de Daniel, el Mochuelo. Era una niña de ojos azules, con los cabellos dorados y la parte superior del rostro tachonada de pecas. Daniel, el Mochuelo, conoció a la niña muy pronto, tanto que el primer recuerdo de ella se desvanecía en su memoria. Luego sí, recordaba a la Mariuca-uca, todavía una cosita de cuatro años, rondando los días de fiesta por las proximidades de la quesería.

La niña despertaba en la madre de Daniel, el Mochuelo, el instinto de la maternidad prematuramente truncado. Ella deseaba una niña, aunque hubiera tenido la carita llena de pecas como la Mariuca-uca. Pero eso ya no podría ser. Don Ricardo, el médico, le dijo que después del aborto le había quedado el vientre seco. Su vientre, pues, envejecía sin esperanzas. De aquí que la madre de Daniel, el Mochuelo, sintiese hacia la pequeña huérfana una inclinación casi maternal. Si la veía pindongueando por las inmediaciones de la quesería, la llamaba y la sentaba a la mesa.

—Mariuca-uca, hija —decía, acariciándola—, querrás un poco de boruga, ¿verdad?

La niña asentía. La madre del Mochuelo la atendía solícita.

—Pequeña, ¿tienes bastante azúcar? ¿Te gusta?

Volvía a asentir la niña, sin palabras. Al concluir la golosina, la madre de Daniel se interesaba por los pormenores domésticos de la casa de Quino:

—Mariuca-uca, hija, ¿quién te lava la ropa?

La niña sonreía:

—El padre.

—¿Y quién te hace la comida?

—El padre.

—¿Y quién te peina las trenzas?

—El padre.

—¿Y quién te lava la cara y las orejas?

—Nadie.

La madre de Daniel, el Mochuelo, sentía lástima de ella. Se levantaba, vertía agua en una palangana y lavaba las orejas de la Mariuca-uca y, después, le peinaba cuidadosamente las trenzas. Mientras realizaba esta operación musitaba como una letanía: «Pobre niña, pobre niña, pobre niña...» y, al acabar, decía dándole una palmada en el trasero:

—Vaya, hija, así estás más curiosita.

La niña sonreía débilmente y entonces la madre de Daniel, el Mochuelo, la cogía en brazos y la besaba muchas veces, frenéticamente.

Tal vez influyera en Daniel, el Mochuelo, este cariño desmedido de su madre hacia la Mariuca-uca para que ésta no fuese santo de su devoción. Pero no; lo que enojaba a Daniel, el Mochuelo, era que la pequeña Uca quisiera meter la nariz en todas las salsas e intervenir activamente en asuntos impropios de una mujer y que no le concernían.

Cierto es que Mariuca-uca disfrutaba de una envidiable libertad, una libertad un poco salvaje, pero, al fin y al cabo, la Mariuca-uca era una mujer, y una mujer no puede hacer lo mismo que ellos hacían ni tampoco ellos hablar de «eso» delante de ella. No hubiera sido delicado ni oportuno. Por lo demás, que su madre la quisiera y la convidase a boruga los domingos y días festivos, no le producía frío ni calor. Le irritaba la incesante mirada de la Mariuca-uca en su cara, su afán por interceptar todas las contingencias y eventualidades de su vida.

—Mochuelo, ¿dónde vas a ir hoy?

—Al demonio. ¿Quieres venir?

—Sí —afirmaba la niña, sin pensar lo que decía.

Roque, el Moñigo, y Germán, el Tiñoso, se reían y le mortificaban, diciéndole que la Uca-uca estaba enamorada de él.

Un día, Daniel, el Mochuelo, para zafarse de la niña, le dio una moneda y le dijo:

—Uca-uca, toma diez y vete a la botica a pesarme.

Ellos se fueron al monte y, al regresar, ya de noche, la Mariuca-uca les aguardaba pacientemente, sentada a la puerta de la quesería. Se levantó al verles, se acercó a Daniel y le devolvió la moneda.

—Mochuelo —dijo—, dice el boticario que para pesarte has de ir tú.

Los tres amigos se reían espasmódicamente y ella los miraba con sus intensos ojos azules, probablemente sin comprenderlos.

Uca-uca, en ocasiones, había de echar mano de toda su astucia para poder ir donde el Mochuelo.

Una tarde, se encontraron los dos solos en la carretera.

—Mochuelo —dijo la niña—. Sé dónde hay un nido de rendajos con pollos emplumados.

—Dime dónde está —dijo él.

—Ven conmigo y te lo enseño —dijo ella.

Y, esa vez, se fue con la Uca-uca. La niña no le quitaba ojo en todo el camino. Entonces sólo tenía nueve años. Daniel, el Mochuelo, sintió la impresión de sus pupilas en la carne, como si le escarbasen con un punzón.

—Uca-uca, ¿por qué demonios me miras así? —preguntó.

Ella se avergonzó, pero no desvió la mirada.

—Me gusta mirarte —dijo.

—No me mires, ¿oyes?

Pero la niña no le oyó o no le hizo caso.

—Te dije que no me mirases, ¿no me oíste? —insistió él.

Entonces ella bajó los ojos.

—Mochuelo —dijo—. ¿Es verdad que te gusta la Mica?

Daniel, el Mochuelo, se puso encarnado. Dudó un momento, notando como un extraño burbujeo en la cabeza. Ignoraba si en estos casos procedía enfadarse o si, por el contrario, debía sonreír. Pero la sangre continuaba acumulándose en la cabeza y, para abreviar, se indignó. Disimuló, no obstante, fingiendo dificultades para saltar la cerca de un prado.

—A ti no te importa si me gusta la Mica o no —dijo.

Uca-uca insinuó débilmente:

—Es más vieja que tú; te lleva diez años.

Se enfadaron. El Mochuelo la dejó sola en un prado y él se volvió al pueblo sin acordarse para nada del nido de rendajos. Pero en toda la noche no pudo olvidar las palabras de Mariuca-uca. Al acostarse sintió una rara desazón. Sin embargo, se dominó. Ya en la cama, recordó que el herrero le contaba muchas veces la historia de la Guindilla menor y don Dimas y siempre empezaba así: «El granuja era quince años más joven que la Guindilla...».

Sonrió Daniel, el Mochuelo, en la oscuridad. Pensó que la historia podría repetirse y se durmió arrullado por la sensación de que le envolvían los efluvios de una plácida y extraña dicha.

XII

El tío Aurelio, el hermano de su madre, les escribió desde Extremadura. El tío Aurelio se marchó a Extremadura porque tenía asma y le sentaba mal el clima del valle, húmedo y próximo al mar. En Extremadura el clima era más seco y el tío Aurelio marchaba mejor. Trabajaba de mulero en una gran dehesa y, si el salario no daba para mucho, en cambio tenía techo gratis y frutos de la tierra a bajos precios. «En estos tiempos no se puede pedir más», les había dicho en su primera carta.

De su tío sólo le quedaba a Daniel, el Mochuelo, el vago recuerdo de un jadeo ahogado, como si resollase junto a su oído una acongojada locomotora ascendente. El tío se ponía compresas en la parte alta del pecho y respiraba siempre en su habitación vapores de eucalipto. Mas, a pesar de las compresas y los vapores de eucalipto, el tío Aurelio sólo cesaba de meter ruido al respirar en el verano, durante la quincena más seca.

En la última carta, el tío Aurelio decía que enviaba para el pequeño un gran duque que había atrapado vivo en un olivar. Al leer la carta, Daniel, el Mochuelo, sintió un estremecimiento. Se figuró que su tío le enviaba, facturado, una especie de don Antonino, el marqués, con el pecho cubierto de insignias, medallas y condecoraciones. Él no sabía que los grandes duques anduvieran sueltos por los olivares ni, mucho menos, que los muleros pudieran atraparlos impunemente como quien atrapa una liebre.

Su padre se rió de él cuando le expuso sus temores. Daniel, el Mochuelo, se alegró íntimamente de haber hecho reír a su padre, que en los últimos años andaba siempre con cara de vinagre y no se reía ni cuando los húngaros representaban comedias y hacían títeres en la plaza. Al acabar de reírse, su padre le aclaró:

—El gran duque es un búho gigante. Es un cebo muy bueno para matar milanos. Cuando llegue te llevaré conmigo de caza al Pico Rando.

Era la primera vez que su padre le prometía llevarle de caza con él. A pesar de que a su padre no se le ocultaba su avidez cinegética.

Todas las temporadas, al abrirse la veda, el quesero cogía el mixto en el pueblo, el primer día, y se marchaba hasta Castilla. Regresaba dos días después con alguna liebre y un buen racimo de perdices que, ineluctablemente, colgaba de la ventanilla de su compartimiento. A las codornices no las tiraba, pues decía que no valían el cartucho y que a los pájaros o se los mata con el tirachinas o se los deja vivir. Él los dejaba vivir. Daniel, el Mochuelo, los mataba con el tirachinas.

Cuando su padre regresaba de sus cacerías, en los albores del otoño, Daniel, el Mochuelo, salía a recibirle a la estación. Cuco, el factor, le anunciaba si el tren venía en punto o si traía algún retraso. De todas las maneras, Daniel, el Mochuelo, aguardaba a ver aparecer la fumosa locomotora por la curva con el corazón alborozado y la respiración anhelante. Siempre localizaba a su padre por el racimo de perdices. Ya a su lado, en el pequeño andén, su padre le entregaba la escopeta y las piezas muertas. Para Daniel, el Mochuelo, significaba mucho esta prueba de confianza, y aunque el arma pesaba lo suyo y los gatillos tentaban vivamente su curiosidad, él la llevaba con una ejemplar seriedad cinegética.

Luego no se apartaba de su padre mientras limpiaba y engrasaba la escopeta. Le preguntaba cosas y más cosas y su padre satisfacía o no su curiosidad según el estado de su humor. Pero siempre que imitaba el vuelo de las perdices su padre hacía «Prrrrr», con lo que Daniel, el Mochuelo, acabó convenciéndose de que las perdices, al volar, tenían que hacer «Prrrrr» y no podían hacer de otra manera. Se lo contó a su amigo, el Tiñoso, y discutieron fuerte porque Germán afirmaba que era cierto que las perdices hacían ruido al volar, sobre todo en invierno y en los días ventosos, pero que hacían «Brrrrr» y no «Prrrrr» como el Mochuelo y su padre decían. No resultaba viable convencerse mutuamente del ruido exacto del vuelo de las perdices y aquella tarde concluyeron regañando.

Tanta ilusión como por ver llegar a su padre triunfador, con un par de liebres y media docena de perdices colgadas de la ventanilla, le producía a Daniel, el Mochuelo, el primer encuentro con Tula, la perrita cocker, al cabo de dos o tres días de ausencia. Tula descendía del tren de un brinco y, al divisarlo, le ponía las manos en el pecho y, con la lengua, llenaba su rostro de incesantes y húmedos halagos. Él la acariciaba también y le decía ternezas con voz trémula. Al llegar a casa, Daniel, el Mochuelo, sacaba al corral una lata vieja con los restos de la comida y una herrada de agua y asistía, enternecido, al festín del animalito.

A Daniel, el Mochuelo, le preocupaba la razón por la que en el valle no había perdices. A él se le antojaba que de haber sido perdiz no hubiera salido del valle. Le entusiasmaría remontarse sobre la pradera y recrearse en la contemplación de los montes, los espesos bosques de castaños y eucaliptos, los pueblos pétreos y los blancos caseríos dispersos, desde la altura. Pero a las perdices no les agradaba eso, por lo visto, y anteponían a las demás satisfacciones la de poder comer fácil y abundantemente.

Su padre le relataba que una vez, muchos años atrás, se le escapó una pareja de perdices a Andrés, el zapatero, y criaron en el monte. Meses después, los cazadores del valle acordaron darles una batida. Se reunieron treinta y dos escopetas y quince perros. No se olvidó un solo detalle. Partieron del pueblo de madrugada y hasta el atardecer no dieron con las perdices. Sólo restaba la hembra con tres pollos escuálidos y hambrientos que se dejaron matar sin oponer resistencia. A la postre, disputaron los treinta y dos cazadores por la posesión de las cuatro piezas cobradas y terminaron a tiros entre los riscos. Casi hubo aquel día más víctimas entre los hombres que entre las perdices.

Cuando el Mochuelo contó esto a Germán, el Tiñoso, éste le dijo que lo de que las perdices se le escaparon a su padre y criaron en la montaña era bien cierto, pero que todo lo demás era una inacabable serie de embustes.

Al recibir la carta del tío Aurelio le entró un nerviosismo a Daniel, el Mochuelo, imposible de acallar. No veía el momento de que el gran duque llegase y poder salir con su padre a la caza de milanos. Si tenía algún recelo, se lo procuraba el temor de que sus amigos, con la novedad, dejaran de llamarle Mochuelo y le apodaran, en lo sucesivo, gran duque. Un cambio de apodo le dolería tanto, a estas alturas, como podría dolerle un cambio de apellido. Pero el gran duque llegó y sus amigos, tan excitados como él mismo, no tuvieron tiempo ni para advertir que el impresionante pajarraco era un enorme búho.

El quesero amarró al gran duque por una pata en un rincón de la cuadra y, si alguien entraba a verlo, el animal bufaba como si se tratase de un gato encolerizado.

Diariamente comía más de dos kilos de recortes de carne y la madre de Daniel, el Mochuelo, apuntó tímidamente una noche que el gran duque gastaba en comer más que la vaca y que la vaca daba leche y el gran duque no daba nada. Como el quesero callase, su mujer preguntó si es que tenían al gran duque como huésped de lujo o si se esperaba de él un rendimiento. Daniel, el Mochuelo, tembló pensando que su padre iba a romper un plato o una encella de barro como siempre que se enfadaba. Pero esta vez el quesero se reprimió y se limitó a decir con gesto hosco:

—Espero de él un rendimiento.

Al asentarse el tiempo, su padre le dijo una noche, de repente, al Mochuelo:

—Prepárate. Mañana iremos a los milanos. Te llamaré con el alba.

Le entró un escalofrío por la espalda a Daniel, el Mochuelo. De improviso, y sin ningún motivo, su nariz percibía ya el aroma de tomillo que exhalaban los pantalones de caza del quesero, el seco olor a pólvora de los cartuchos disparados y que su padre recargaba con paciencia y parsimonia, una y otra vez, hasta que se inutilizaban totalmente. El niño presentía ya el duelo con los milanos, taimados y veloces, y, mentalmente, matizaba la proyectada excursión.

Con el alba salieron. Los helechos, a los bordes del sendero, brillaban de rocío y en la punta de las hierbas se formaban gotitas microscópicas que parecían de mercurio. Al iniciar la pendiente del Pico Rando, el sol asomaba tras la montaña y una bruma pesada y blanca se adhería ávidamente al fondo del valle. Visto éste desde la altura, semejaba un lago lleno de un líquido ingrávido y oleoso.

Daniel, el Mochuelo, miraba a todas partes fascinado. En la espalda, encerrado en una jaula de madera, llevaba al gran duque, que bufaba rabioso si algún perro les ladraba en el camino.

Al salir de casa, Daniel dijo al quesero:

—¿Y a la Tula no la llevamos?

—La Tula no pinta nada hoy —dijo su padre.

Y el muchacho lamentó en el alma que la perra, que al ver la escopeta y oler las botas y los pantalones del quesero se había impacientado mucho, hubiera de quedarse en casa. Al trepar por la vertiente sur del Pico Rando y sentirse impregnado de la luminosidad del día y los aromas del campo, Daniel, el Mochuelo, volvió a acordarse de la perra. Después, se olvidó de la perra y de todo. No veía más que la cara acechante de su padre, agazapado entre unas peñas grises, y al gran duque agitarse y bufar cinco metros más allá, con la pata derecha encadenada. Él se hallaba oculto entre la maleza, frente por frente de su padre.

—No te muevas ni hagas ruido; los milanos saben latín —le advirtió el quesero.

Y él se acurrucó en su escondrijo, mientras se preguntaba si tendría alguna relación el hecho de que los milanos supieran latín, como decía su padre, con que vistiesen de marrón, un marrón duro y escueto, igual que las sotanas de los frailes. O a lo mejor su padre lo había dicho en broma, por decir algo.

Daniel, el Mochuelo, creyó entrever que su padre le señalaba el cielo con el dedo. Sin moverse miró a lo alto y divisó tres milanos describiendo pausados círculos concéntricos por encima de su cabeza. El Mochuelo experimentó una ansiedad desconocida. Observó, de nuevo, a su padre y le vio empalidecer y aprestar la escopeta con cuidado. El gran duque se había excitado más y bufaba. Daniel, el Mochuelo, se aplastó contra la tierra y contuvo el aliento al ver que los milanos descendían sobre ellos. Casi era capaz ya de distinguirlos con todos sus pormenores. Uno de ellos era de un tamaño excepcional. Sintió el Mochuelo un picor intempestivo en una pierna, pero se abstuvo de rascarse para evitar todo ruido y movimiento.

De pronto, uno de los milanos se descolgó verticalmente del cielo y cruzó raudo, rasando la cabeza del gran duque. Inmediatamente se desplomaron los otros dos. El corazón de Daniel, el Mochuelo, latía desalado. Esperó el estampido del disparo, arrugando la cara, pero el estampido no se produjo. Miró a su padre, estupefacto.

Éste seguía al milano grande, que de nuevo se remontaba, por los puntos de la escopeta, pero no disparó tampoco ahora. Pensó Daniel, el Mochuelo, que a su padre le ocurría algo grave. Jamás vio él un milano tan próximo a un hombre y, sin embargo, su padre no hacía fuego.

Los milanos volvieron a la carga al poco rato. La excitación de Daniel aumentó. Pasó el primer milano, tan cerca, que el Mochuelo divisó su ojo brillante y redondo clavado fijamente en el gran duque, sus uñas rapaces y encorvadas. Cruzó el segundo. Semejaban una escuadrilla de aviones picando en cadena. Ahora descendía el grande, con las alas distendidas, destacándose en el cielo azul. Sin duda era éste el momento que aguardaba el quesero. Daniel observó a su padre. Seguía al ave por los puntos de la escopeta. El milano sobrevoló al gran duque sin aletear. En ese instante sonó el disparo, cuyas resonancias se multiplicaron en el valle. El pájaro dejó flotando en el aire una estela de plumas y sus enormes alas bracearon frenéticas, impotentes, en un desesperado esfuerzo por alejarse de la zona de peligro. Mas, entonces, el quesero disparó de nuevo y el milano se desplomó, graznando lúgubremente, en un revoloteo de plumas.

El grito de júbilo de su padre no encontró eco en Daniel, el Mochuelo. Éste se había llevado la mano a la mejilla al oír el segundo disparo. Simultáneamente con la detonación, sintió como si le atravesaran la carne con un alambre candente, como un latigazo instantáneo. Al retirar la mano vio que tenía sangre en ella. Se asustó un poco. Al momento comprendió que su padre le había pegado un tiro.

—Me has dado —dijo tímidamente.

El quesero se detuvo en seco; su entusiasmo se enfrió instantáneamente. Al aproximarse a él casi lloraba de rabia.

—¿Ha sido mucho, hijo? ¿Ha sido mucho? —inquirió, excitado.

Por unos segundos, el quesero lo vio todo negro, el cielo, la tierra y todo negro. Sus ahorros concienzudos y su vida sórdida dejaron, por un instante, de tener dimensión y sentido. ¿Qué podía hacer él si había matado a su hijo, si su hijo ya no podía progresar? Mas, al acercarse, se disiparon sus oscuros presentimientos. Ya a su lado, soltó una áspera carcajada nerviosa y se puso a hacer cómicos aspavientos.

—Ah, no es nada, no es nada —dijo—. Creí que era otra cosa. Un rebote. ¿Te duele, te duele? Ja, ja, ja. Es sólo un perdigón.

No le agradó a Daniel, el Mochuelo, este menosprecio de su herida. Pequeño o grande, aquello era un tiro. Y con la lengua notaba un bultito por dentro de la mejilla. Era el perdigón y el perdigón era de cuarta. Casi una bala, una bala pequeñita.

—Ahora me duele poco. Lo tengo como dormido. Antes sí me dolió —dijo.

Sangraba. La cabeza de su padre se desplazó nuevamente al milano abatido. Lo del chico no tenía importancia.

—¿Lo viste caer, Daniel? ¿Viste el muy ladino cómo quiso rehacerse después del primer tiro? —preguntó.

Se contagió Daniel, el Mochuelo, del expansivo entusiasmo de su padre.

—Claro que lo vi, padre. Ha caído ahí —dijo el Mochuelo.

Y corrieron los dos juntos, dando saltos, hacia el lugar señalado. El milano aún se retorcía en los postreros espasmos de la muerte. Y medía más de dos metros de envergadura.

De regreso a casa, Daniel, el Mochuelo, le dijo a su padre:

—Padre, ¿crees que me quedará señal?

Apenas le hizo caso el quesero:

—Nada, eso se cierra bien.

Daniel, el Mochuelo, casi tenía lágrimas en los ojos.

—Pero... pero ¿no me quedará nada de cicatriz?

—Por supuesto, eso no es nada —repitió, desganado, su padre.

Daniel, el Mochuelo, tuvo que pensar en otra cosa para no ponerse a llorar. De pronto, el quesero le detuvo cogiéndole por el cuello:

—Oye, a tu madre ni una palabra, ¿entiendes? No hables de eso si quieres volver de caza conmigo, ¿de acuerdo?

Al Mochuelo le agradó ahora sentirse cómplice de su padre.

—De acuerdo —dijo.

Al día siguiente, el quesero marchó a la ciudad con el milano muerto y regresó por la tarde. Sin cambiarse de ropa agarró al gran duque, lo encerró en la jaula y se fue a La Cullera, una aldea próxima.

Por la noche, después de la cena, puso cinco billetes de cien sobre la mesa.

—Oye —dijo a su mujer—. Ahí tienes el rendimiento del gran duque. No era un huésped de lujo como verás. Cuatrocientas me ha dado el cura de La Cullera por él y cien en la ciudad la Junta contra Animales Dañinos por tumbar al milano.

La madre de Daniel no dijo nada. Su marido siempre había sido obstinado y terco para defender su postura. Y él no lo ocultaba tampoco: «Desde el día de mi boda, siempre me ha gustado quedar por encima de mi mujer.»

Y luego se reía, se reía con gruesas carcajadas, él sabría por qué.

XIII

Hay cosas que la voluntad humana no es capaz de controlar. Daniel, el Mochuelo, acababa de averiguar esto. Hasta entonces creyó que el hombre puede elegir libremente entre lo que quiere y lo que no quiere; incluso él mismo podía ir, si éste era su deseo, al dentista que actuaba en la galería de Quino, el Manco, los jueves por la mañana, mediante un módico alquiler, y sacarse el diente que le estorbase. Había algunos hombres, como Lucas, el Mutilado, que hasta les cercenaban un miembro si ese miembro llegaba a ser para ellos un estorbo. Es decir, que hasta la tarde aquella que saltaron la tapia del Indiano para robarle las manzanas y los sorprendió la Mica, Daniel, el Mochuelo, creyó que los hombres podían desentenderse a su antojo de cuanto supusiese para ellos una rémora, lo mismo en lo relativo al cuerpo que en lo concerniente al espíritu.

Pero nada más abandonar la finca del Indiano con una manzana en cada mano y las orejas gachas, Daniel, el Mochuelo, comprendió que la voluntad del hombre no lo es todo en la vida. Existían cosas que se le imponen al hombre, y lo sojuzgan, y lo someten a su imperio con cruel despotismo. Tal —ahora se daba cuenta— la deslumbradora belleza de la Mica. Tal, el escepticismo de Pancho, el Sindiós. Tal, el encendido fervor de don José, el cura, que era un gran santo. Tal, en fin, la antipatía sorda de la Sara hacia su hermano Roque, el Moñigo.

Desde el frustrado robo de las manzanas, Daniel, el Mochuelo, comprendió que la Mica era muy hermosa, pero, además, que la hermosura de la Mica había encendido en su pecho una viva llama desconocida. Una llama que le abrasaba materialmente el rostro cuando alguien mentaba a la Mica en su presencia. Eso constituía, en él, algo insólito, algo que rompía el hasta ahora despreocupado e independiente curso de su vida.

Daniel, el Mochuelo, aceptó este fenómeno con la resignación con que se aceptan las cosas ineluctables. Él no podía evitar acordarse de la Mica todas las noches al acostarse, o los domingos y días festivos si comía boruga. Esto le llevó a deducir que la Mica significaría para el feliz mortal que la conquistase un muy dulce remanso de paz.

Al principio, Daniel, el Mochuelo, intentó zafarse de esta presión interior que enervaba su insobornable autonomía, pero acabó admitiendo el constante pensamiento de la Mica como algo consustancial a él mismo, algo que formaba parte muy íntima de su ser.

Si la Mica se ausentaba del pueblo, el valle se ensombrecía a los ojos de Daniel, el Mochuelo, y parecía que el cielo y la tierra se tornasen yermos, amedrentadores y grises. Pero cuando ella regresaba, todo tomaba otro aspecto y otro color, se hacían más dulces y cadenciosos los mugidos de las vacas, más incitante el verde de los prados y hasta el canto de los mirlos adquiría, entre los bardales, una sonoridad más matizada y cristalina. Acontecía, entonces, como un portentoso renacimiento del valle, una acentuación exhaustiva de sus posibilidades, aromas, tonalidades y rumores peculiares. En una palabra, como si para el valle no hubiera ya en el mundo otro sol que los ojos de la Mica y otra brisa que el viento de sus palabras.

Daniel, el Mochuelo, guardaba su ferviente admiración por la Mica como el único secreto no compartido. No obstante, algo en sus ojos, quizás en su voz, revelaba una excitación interior muy difícil de acallar.

También sus amigos admiraban a la Mica. La admiraban en su belleza, lo mismo que admiraban al herrero en su vigor físico, o a don José, el cura, que era un gran santo, en su piedad, o a Quino, el Manco —antes de enterarse el Moñigo de que había llorado a la muerte de su mujer—, en su muñón. La admiraban, sí, pero como se admira a las cosas bonitas o poderosas que luego no dejan huella. Sentían, sin duda, en su presencia, a la manera de una nueva emoción estética que inmediatamente se disipaba ante un tordo abatido con el tirachinas o un regletazo de don Moisés, el maestro. Su arrobo no perduraba; era efímero y decadente como una explosión.

En ello advirtió Daniel, el Mochuelo, que su estado de ánimo ante la Mica era una cosa especial, diferente del estado de ánimo de sus amigos. Y si no, ¿por qué Roque, el Moñigo, o Germán, el Tiñoso, no adelgazaban tres kilos si la Mica marchaba a América, o un par de ellos si sólo se desplazaba a la ciudad, o engordaban lo perdido y un kilo más cuando la Mica retornaba al valle por una larga temporada? Ahí estaba la demostración de que sus sentimientos hacia la Mica eran singulares, muy distintos de los que embargaban a sus compañeros. Aunque al hablar de ella se hicieran cruces, o Roque, el Moñigo, cerrase los ojos y emitiese un breve y agudo silbido, como veía hacer a su padre ante una moza bien puesta. Esto era pura ostentación, estridencias superficiales y no, en modo alguno, un ininterrumpido y violento movimiento de fondo.

Una tarde, en el prado de la Encina, hablaron de la Mica. Salió la conversación a propósito del muerto que según la gente había enterrado desde la guerra en medio del prado, bajo el añoso árbol.

—Será ya ceniza —dijo el Tiñoso—. No quedarán ni los huesos. ¿Creéis que cuando se muera la Mica olerá mal, como los demás, y se deshará en polvo?

Experimentó el Mochuelo un latigazo de sangre en la cara.

—No puede ser —saltó, ofendido, como si hubieran afrentado a su madre—. La Mica no puede oler nunca mal. Ni cuando se muera.

El Moñigo soltó al aire una risita seca.

—Éste es lila —dijo—. La Mica cuando se muera olerá a demonios como todo hijo de vecino.

Daniel, el Mochuelo, no se entregó.

—La Mica puede morir en olor de santidad; es muy buena —añadió.

—¿Y qué es eso? —rezongó Roque.

—El olor de los santos.

Roque, el Moñigo, se sulfuró:

—Eso es un decir. No creas que los santos huelen a colonia. Para Dios, sí, pero para los que olemos con las narices, no. Mira don José. Creo que no puede haber hombre más santo, ¿eh? ¿Y no le apesta la boca? Don José será todo lo santo que quieras, pero cuando se muera olerá mal, como la Mica, como tú, como yo y como todo el mundo.

Germán, el Tiñoso, desvió la conversación. Hacía tan sólo dos semanas del asalto a la finca del Indiano. Entornó los ojos para hablar. Le costaba grandes esfuerzos expresarse. Su padre, el zapatero, aseguraba que se le escapaban las ideas por las calvas.

—¿Os fijasteis... os fijasteis —preguntó de pronto— en la piel de la Mica? Parece como que la tuviera de seda.

—Eso se llama cutis... tener cutis —aclaró Roque, el Moñigo, y añadió—: De todo el pueblo es la Mica la única que tiene cutis.

Daniel, el Mochuelo, experimentó un gran gozo al saber que la Mica era la única persona del pueblo que tenía cutis.

—Tiene la piel como una manzana con lustre —aventuró tímidamente.

Roque, el Moñigo, siguió con lo suyo:

—La Josefa, la que se suicidó por el Manco, era gorda, pero por lo que dicen mi padre y la Sara también tenía cutis. En las capitales hay muchas mujeres que lo tienen. En los pueblos, no, porque el sol les quema el pellejo o el agua se lo arruga.

Germán, el Tiñoso, sabía algo de eso, porque tenía un hermano en la ciudad y algunos años venía por las Navidades y le contaba muchas cosas de allá.

—No es por eso —atajó, con aire de suficiencia absoluta—. Yo sé por lo que es. Las señoritillas se dan cremas y potingues por las noches, que borran las arrugas.

Le miraron los otros dos, embobados.

—Y aún sé más. —Se suavizó la voz y Roque y Daniel se aproximaron a él invitados por su misterioso aire de confidencia—. ¿Sabéis por qué a la Mica no se le arruga el pellejo y lo conserva suave y fresco como si fuera una niña? —dijo.

Las dos interrogaciones se confundieron en una sola voz:

—¿Por qué?

—Pues porque se pone una lavativa todas las noches, al acostarse. Eso hacen todas las del cine. Lo dice mi padre, y don Ricardo ha dicho a mi padre que eso puede ser verdad, porque la vejez sale del vientre. Y la cara se arruga por tener sucio el intestino.

Para Daniel, el Mochuelo, fue esta manifestación un rudo golpe. En su mente se confundían la Mica y la lavativa en una irritante promiscuidad. Eran dos polos opuestos e irreconciliables. Pero, de improviso, recordaba lo que decía a veces don Moisés, el maestro, de que los extremos se tocan y sentía una desfondada depresión, como si algo se le fuese del cuerpo a chorros. La afirmación del Tiñoso era, pues, concienzuda, enteramente posible y verosímil. Mas cuando dos días después volvió a ver a la Mica, se desvanecieron sus bajos recelos y comprendió que don Ricardo y el zapatero y Germán, el Tiñoso, y todo el pueblo decían lo de la lavativa, porque ni sus madres, ni sus mujeres, ni sus hermanas, ni sus hijas tenían cutis y la Mica sí que lo tenía.

La sombra de la Mica acompañaba a Daniel, el Mochuelo, en todos sus quehaceres y devaneos. La idea de la muchacha se encajonó en su cerebro como una obsesión. Entonces no reparaba en que la chica le llevaba diez años y sólo le preocupaba el hecho de que ella perteneciera a una diferente casta social. No se reprochaba más que el que él hubiera nacido pobre y ella rica y que su padre, el quesero, no se largase, en su día, a las Américas, con Gerardo, el hijo menor de la señora Micaela. En tal caso, podría él disponer, a estas alturas, de dos restaurantes de lujo, un establecimiento de receptores de radio y tres barcos de cabotaje o siquiera, siquiera, de un comercio de aparatos eléctricos como el que poseían en la ciudad los «Ecos del Indiano». Con el comercio de aparatos eléctricos sólo le separarían de la Mica los dos restaurantes de lujo y los tres barcos de cabotaje. Ahora, a más de los restaurantes de lujo y los barcos de cabotaje, había por medio un establecimiento de receptores de radio que tampoco era moco de pavo.

Sin embargo, a pesar de la admiración y el arrobo de Daniel, el Mochuelo, pasaron años antes de poder cruzar palabra con la Mica, aparte de la amable reprimenda del día de las manzanas. Daniel, el Mochuelo, se conformaba con despedirla y darle la bienvenida con una mirada triste o radiante, según las circunstancias. Eso sólo, hasta que una mañana de verano le llevó hasta la iglesia en su coche, aquel coche negro y alargado y reluciente que casi no metía ruido al andar. Por entonces, el Mochuelo había cumplido ya los diez años y sólo le restaba uno para marcharse al colegio a empezar a progresar. La Mica ya tenía diecinueve para veinte y los tres años transcurridos desde la noche de las manzanas, no sólo no lastimaron su piel, ni su rostro, ni su cuerpo, sino, al contrario, sirvieron para que su piel, su cuerpo y su rostro entrasen en una fase de mayor armonía y plenitud.

Él subía la varga agobiado por el sol de agosto, mientras flotaban en la mañana del valle los tañidos apresurados del último toque de la misa. Aún le faltaba casi un kilómetro, y Daniel, el Mochuelo, desesperaba de alcanzar a don José antes de que éste comenzase el Evangelio. De repente, oyó a su lado el claxon del coche negro de la Mica y volvió la cabeza asustado y se topó, de buenas a primeras, con la franca e inesperada sonrisa de la muchacha. Daniel, el Mochuelo, se sintió envarado, preguntándose si la Mica recordaría el frustrado hurto de las manzanas. Pero ella no aludió al enojoso episodio.

—Pequeño —dijo—. ¿Vas a misa?

Se le atarantó la lengua al Mochuelo y no acertó a responder más que con un movimiento de cabeza. Ella misma abrió la portezuela y le invitó:

—Es tarde y hace calor. ¿Quieres subir?

Cuando reparó en sus movimientos, Daniel, el Mochuelo, ya estaba acomodado junto a la Mica, viendo desfilar aceleradamente los árboles tras los cristales del coche. Notaba él la vecindad de la muchacha en el flujo de la sangre, en la tensión incómoda de los nervios. Era todo como un sueño, doloroso y punzante en su misma saciedad. «Dios mío —pensaba el Mochuelo—, esto es más de lo que yo había imaginado», y se puso rígido y como acartonado e insensible cuando ella le acarició con su fina mano el cogote y le preguntó suavemente:

—¿Tú de quién eres?

Tartamudeó el Mochuelo, en un forcejeo desmedido con los nervios:

—De... del quesero.

—¿De Salvador?

Bajó la cabeza, asintiendo. Intuyó que ella sonreía. El fino contacto de su piel en la nuca le hizo sospechar que la Mica tenía también cutis en las palmas de las manos.

Se divisaba ya el campanario de la iglesia entre la fronda.

—¿Querrás bajarme un par de quesos de nata luego, a la tarde? —dijo la Mica.

Daniel, el Mochuelo, tornó a asentir mecánicamente con la cabeza, incapaz de articular palabra. Durante la misa no supo de qué lado le daba el aire y por dos veces se santiguó extemporáneamente, mientras Ángel, el cabo de la Guardia Civil, se reía convulsivamente a su lado, cubriéndose el rostro con el tricornio, de su desorientación.

Al anochecer se puso el traje nuevo, se peinó con cuidado, se lavó las rodillas y se marchó a casa del Indiano a llevar los quesos. Daniel, el Mochuelo, se maravilló ante el lujo inusitado de la vivienda de la Mica. Todos los muebles brillaban y su superficie era lisa y suave, como si también ellos tuvieran cutis.

Al aparecer la Mica, el Mochuelo perdió el poco aplomo almacenado durante el camino. La Mica, mientras observaba y pagaba los quesos, le hizo muchas preguntas. Desde luego era una muchacha sencilla y simpática y no se acordaba en absoluto del desagradable episodio de las manzanas.

—¿Cómo te llamas? —dijo.

—Da... Daniel.

—¿Vas a la escuela?

—Ssssí.

—¿Tienes amigos?

—Sí.

—¿Cómo se llaman tus amigos?

—El Mo... Moñigo y el Ti... Tiñoso.

Ella hizo un mohín de desagrado.

—¡Uf, qué nombres tan feos! ¿Por qué llamas a tus amigos por unos nombres tan feos? —dijo.

Daniel, el Mochuelo, se azoró. Comprendía ahora que había contestado estúpidamente, sin reflexionar. A ella debió decirle que sus amigos se llamaban Roquito y Germanín. La Mica era una muchacha muy fina y delicada y con aquellos vocablos había herido su sensibilidad. En lo hondo de su ser lamentó su ligereza. Fue en ese momento, ante el sonriente y atractivo rostro de la Mica, cuando se dio cuenta de que le agradaba la idea de marchar al colegio y progresar. Estudiaría denodadamente y quizá ganase luego mucho dinero. Entonces la Mica y él estarían ya en un mismo plano social y podrían casarse y, a lo mejor, la Uca-uca, al saberlo, se tiraría desnuda al río desde el puente, como la Josefa el día de la boda de Quino. Era agradable y estimulante pensar en la ciudad y pensar que algún día podría ser él un honorable caballero y pensar que, con ello, la Mica perdía su inasequibilidad y se colocaba al alcance de su mano. Dejaría, entonces, de decir motes y palabras feas y de agredirse con sus amigos con boñigas resecas y hasta olería a perfumes caros en lugar de a requesón. La Mica, en tal caso, cesaría de tratarle como a un rapaz maleducado y pueblerino.

Cuando abandonó la casa del Indiano era ya de noche. Daniel, el Mochuelo, pensó que era grato pensar en la oscuridad. Casi se asustó al sentir la presión de unos dedos en la carne de su brazo. Era la Uca-uca.

—¿Por qué has tardado tanto en dejarle los quesos a la Mica, Mochuelo? —inquirió la niña.

Le dolió que la Uca-uca vulnerase con este desparpajo su intimidad, que no le dejase tranquilo ni para madurar y reflexionar sobre su porvenir.

Adoptó un gracioso aire de superioridad.

—¿Vas a dejarme en paz de una vez, mocosa?

Andaba deprisa y la Mariuca-uca casi corría, a su lado, bajando la varga.

—¿Por qué te pusiste el traje nuevo para bajarle los quesos, Mochuelo? Di —insistió ella.

Él se detuvo en medio de la carretera, exasperado. Dudó, por un momento, si abofetear a la niña.

—A ti no te importa nada de lo mío, ¿entiendes? —dijo, finalmente.

Le tembló la voz a la Uca-uca al indagar:

—¿Es que te gusta más la Mica que yo?

El Mochuelo soltó una carcajada. Se aproximó mucho a la niña para gritarle:

—¡Óyeme! La Mica es la chica más guapa del valle y tiene cutis y tú eres fea como un coco de luz y tienes la cara llena de pecas. ¿No ves la diferencia?

Reanudó la marcha hacia su casa. La Mariuca-uca ya no le seguía. Se había sentado en la cuneta derecha del camino y, ocultando la pecosa carita entre las manos, lloraba con un hipo atroz.

XIV

Podían decir lo que quisieran; eso no se lo impediría nadie. Pero lo que decían de ellos no se ajustaba a la verdad. Ni Roque, el Moñigo, tenía toda la culpa, ni ellos hacían otra cosa que procurar pasar el tiempo de la mejor manera posible. Que a la Guindilla mayor, al quesero, o a don Moisés, el maestro, no les agradase la forma que ellos tenían de pasar el tiempo era una cosa muy distinta. Mas ¿quién puede asegurar que ello no fuese una rareza de la Guindilla, el quesero y el Peón y no una perversidad diabólica por parte de ellos?

La gente enseguida arremete contra los niños, aunque muchas veces el enojo de los hombres proviene de su natural irritable y suspicaz y no de las travesuras de aquéllos. Ahí estaba Paco, el herrero. Él los comprendía porque tenía salud y buen estómago, y si el Peón no hacía lo mismo era por sus ácidos y por su rostro y su hígado retorcidos. Y su mismo padre, el quesero, porque el afán ávido de ahorrar le impedía ver las cosas en el aspecto optimista y risueño que generalmente ofrecen. Y la Guindilla mayor porque, a fin de cuentas, ella era la dueña del gato y lo quería como si fuese una consecuencia irracio-

nal de su vientre seco. Mas tampoco ellos eran culpables
de que la Guindilla mayor sintiera aquel afecto entrañable y desordenado por el animal, ni de que el gato saltara
al escaparate en cuanto el sol, aprovechando cualquier des-
cuido de las nubes, asomaba al valle su rostro congestio-
nado y rubicundo. De esto no tenía la culpa nadie, ésa es
la verdad. Pero Daniel, el Mochuelo, intuía que los niños
tienen ineluctablemente la culpa de todas aquellas cosas
de las que no tiene la culpa nadie.

Lo del gato tampoco fue una hazaña del otro jueves.
Si el gato hubiera sido de Antonio, el Buche, o de las mismas Lepóridas, no hubiera ocurrido nada. Pero Lola, la
Guindilla mayor, era una escandalosa y su amor por el
gato una inclinación evidentemente enfermiza y anormal.
Porque, vamos a ver, si la trastada hubiese sido grave o
ligeramente pecaminosa, ¿se hubiera reído don José, el
cura, con las ganas que se rió cuando se lo contaron? Seguramente, no. Además, ¡qué diablo!, el bicho se lo buscaba por salir al escaparate a tomar el sol. Claro que esta
costumbre, por otra parte, representaba para Daniel, el
Mochuelo, y sus amigos una estimable ventaja económi-
ca. Si deseaban un real de galletas tostadas, en la tienda
de las Guindillas, la mayor decía:

—¿De las de la caja o de las que ha tocado el gato?

—De las que ha tocado el gato —respondían ellos,
invariablemente.

Las que «había tocado el gato» eran las muestras del
escaparate y, de éstas, la Guindilla mayor daba cuatro por
un real, y dos, por el mismo precio, de las de la caja. A ellos
no les importaba mucho que las galletas estuvieran toca-
das por el gato. En ocasiones estaban algo más que to-
cadas por el gato, pero tampoco en esos casos les importaba demasiado. Siempre, en cualesquiera condiciones,
serían preferibles cuatro galletas que dos.

En lo concerniente a la lupa, fue Germán, el Tiñoso, quien la llevó a la escuela una mañana de primavera. Su padre la guardaba en el taller para examinar el calzado, pero Andrés, «el hombre que de perfil no se le ve», apenas la utilizaba porque tenía buena vista. La hubiera usado si las lupas poseyeran la virtud de levantar un poco las sayas de las mujeres, pero lo que él decía: «Para ver las pantorrillas más gordas y accidentadas de lo que realmente son, no vale la pena emplear artefactos.»

Con la lupa de Germán, el Tiñoso, hicieron aquella mañana toda clase de experiencias. Roque, el Moñigo, y Daniel, el Mochuelo, encendieron, concentrando con ella los rayos de sol, dos defectuosos pitillos de follaje de patata. Después se analizaron minuciosamente las cicatrices que, agrandadas por el grueso del cristal, asumían una topografía irregular y monstruosa. Luego, se miraron los ojos, la lengua y las orejas y, por último, se cansaron de la lupa y de las extrañas imágenes que ella provocaba.

Fue al cruzar el pueblo hacia sus casas, de regreso de la escuela, cuando vieron el gato de las Guindillas, enroscado sobre el plato de galletas, en un extremo de la vitrina. El animal ronroneaba voluptuoso, con su negra y peluda panza expuesta al sol, disfrutando de las delicias de una cálida temperatura. Al aproximarse ellos, abrió, desconfiado, un redondo y terrible ojo verde, pero al constatar la protección de la luna del escaparate, volvió a cerrarlo y permaneció inmóvil, dulcemente transpuesto.

Nadie es capaz de señalar el lugar del cerebro donde se generan las grandes ideas. Ni Daniel, el Mochuelo, podría decir, sin mentir, en qué recóndito pliegue nació la ocurrencia de interponer la lupa entre el sol y la negra panza del animal. La idea surgió de él espontánea y como naturalmente, algo así como fluye el agua de un manantial. Lo cierto es que durante unos segundos los rayos de

195

sol convergieron en el cuerpo del gato formando sobre su negro pelaje un lunar brillante. Los tres amigos observaban expectantes el proceso físico. Vieron cómo los pelos más superficiales chisporroteaban sin que el bicho modificara su postura soñolienta y voluptuosa. El lunar de fuego permanecía inmóvil sobre su oscura panza. De repente brotó de allí una tenue hebra de humo y el gato de las Guindillas dio, simultáneamente, un acrobático salto acompañado de rabiosos maullidos:

«¡¡Marramiauuuu!! ¡¡Miauuuuuuuu!!»

Los maullidos agudos y lastimeros se diluían, poco a poco, en el fondo del establecimiento.

Sin acuerdo previo, los tres amigos echaron a correr. Pero la Guindilla fue más rápida que ellos y su rostro descompuesto asomó a la puerta antes de que los tres rapaces se perdieran varga abajo. La Guindilla blandía el puño en el aire y lloraba de rabia e impotencia:

—¡Golfos! ¡Sinvergüenzas! ¡Vosotros teníais que ser! ¡Me habéis abrasado el gato! ¡Pero ya os daré yo! ¡Os vais a acordar de esto!

Y, efectivamente, se acordaron, ya que fue más leonino lo que don Moisés, el Peón, hizo con ellos que lo que ellos habían hecho con el gato. Así y todo, en ellos se detuvo la cadena de escarmientos. Y Daniel, el Mochuelo, se preguntaba: «¿Por qué si quemamos un poco a un gato nos dan a nosotros una docena de regletazos en cada mano, y nos tienen todo un día sosteniendo con el brazo levantado el grueso tomo de la Historia Sagrada, con más de cien grabados a todo color, y al que a nosotros nos somete a esta caprichosa tortura no hay nadie que le imponga una sanción, consecuentemente más dura, y así, de sanción en sanción, no nos plantamos en la pena de muerte?» Pero no. Aunque el razonamiento no era desatinado, el castigo se acababa en ellos. Éste era el orden pedagógico establecido y había que acatarlo con sumisión. Era la caprichosa, ilógica y desigual justicia de los hombres.

Daniel, el Mochuelo, pensaba, mientras pasaban lentos los minutos y le dolían las rodillas y le temblaba y sentía punzadas nerviosas en el brazo levantado con la Historia Sagrada en la punta, que el único negocio en la vida era dejar cuanto antes de ser niño y transformarse en un hombre. Entonces se podía quemar tranquilamente a un gato con una lupa sin que se conmovieran los cimientos sociales del pueblo y sin que don Moisés, el maestro, abusara impunemente de sus atribuciones.

¿Y lo del túnel? Porque todavía en lo de la lupa hubo una víctima inocente: el gato; pero en lo del túnel no hubo víctimas y, de haberlas habido, hubieran sido ellos, y encima vengan regletazos en la palma de la mano y vengan horas de rodillas, con el brazo levantado con la Historia Sagrada sobrepasando siempre el nivel de la cabeza. Esto era inhumano, un evidente abuso de autoridad, ya que, en resumidas cuentas, ¿no hubiera descansado don Moisés, el Peón, si el rápido se los lleva a los tres aquella tarde por delante? Y, si era así, ¿por qué se les castigaba? ¿Tal vez porque el rápido no se los llevó por delante? Aviados estaban entonces; la disyuntiva era ardua: o morir triturados entre los ejes de un tren o tres días de rodillas con la Historia Sagrada y sus más de cien grabados a todo color izada por encima de la cabeza.

Tampoco Roque, el Moñigo, acertaría a explicarse en qué región de su cerebro se generó la idea estrambótica de esperar al rápido dentro del túnel con los calzones bajados. Otras veces habían aguantado en el túnel el paso del mixto o del tranvía interprovincial. Mas estos trenes discurrían cachazudamente y su paso, en la oscuridad del agujero, apenas si les producía ya emoción alguna. Era preciso renovarse. Y Roque, el Moñigo, les exigió este nuevo experimento: aguardar al rápido dentro del túnel y hacer los tres, simultáneamente, de vientre, al paso del tren.

Daniel, el Mochuelo, antes de aceptar, apuntó algunos sensatos inconvenientes.

—¿Y el que no tenga ganas? —dijo.

El Moñigo arguyó, contundente:

—Las sentirá en cuanto oiga acercarse la máquina.

El detalle que descuidaron fue el depósito de los calzones. De haber atado este cabo, nada se hubiera descubierto. Como no hubiera pasado nada tampoco si el día que el Tiñoso llevó la lupa a la escuela no hubiera habido sol. Pero existen, flotando constantemente en el aire, unos entes diabólicos que gozan enredando los actos inocentes de los niños, complicándoles las situaciones más normales y simples.

¿Quién pensaba, en ese momento, en la suerte de los calzones estando en juego la propia suerte? ¿Se preocupa el torero del capote cuando tiene las astas a dos cuartas de sus ingles? Y aunque al torero le rasgue el toro el capote no le regaña su madre, ni le aguarda un maestro furibundo que le dé dos docenas de regletazos y le ponga de rodillas con la Historia Sagrada levantada por encima de la cabeza. Y, además, al torero le dan bastante dinero. Ellos arriesgaban sin esperar una recompensa ni un aplauso, ni la chimenea ni una rueda del tren tan siquiera. Trataban únicamente de autoconvencerse de su propio valor. ¿Merece esta prueba un suplicio tan refinado?

El rápido entró en el túnel silbando, bufando, echando chiribitas, haciendo trepidar los montes y las piedras. Los tres rapaces estaban pálidos, en cuclillas, con los traseritos desnudos a medio metro de la vía. Daniel, el Mochuelo, sintió que el mundo se dislocaba bajo sus plantas, se desintegraba sin remedio y, mentalmente, se santiguó. La locomotora pasó bufando a su lado y una vaharada cálida de vapor le lamió el trasero. Retemblaron las paredes del túnel, que se llenó de unas resonancias férreas estruendosas. Por encima del fragor del hierro y la velocidad encajonada, llegó a su oído la advertencia del Moñigo, a su lado:

—¡Agarraos a las rodillas!

Y se agarró ávidamente, porque lo ordenaba el jefe y porque la atracción del convoy era punto menos que irresistible. Se agarró a las rodillas, cerró los ojos y contrajo el vientre. Fue feliz al constatar que había cumplido ce por be lo que Roque les había exigido.

Se oyeron las risas sofocadas de los tres amigos al concluir de desfilar el tren. El Tiñoso se irguió y comenzó a toser ahíto de humo. Luego tosió el Mochuelo y, el último, el Moñigo. Jamás el Moñigo rompía a toser el primero, aunque tuviese ganas de hacerlo. Sobre estos extremos existía siempre una competencia inexpresada.

Se reían aún cuando Roque, el Moñigo, dio la voz de alarma.

—No están aquí los pantalones —dijo.

Cedieron las risas instantáneamente.

—Ahí tenían que estar —corroboró el Mochuelo, tanteando en la oscuridad.

El Tiñoso dijo:

—Tened cuidado, no piséis...

El Moñigo se olvidó, por un momento, de los pantalones.

—¿Lo habéis hecho? —inquirió.

Se fundieron en la tenebrosa oscuridad del túnel las afirmaciones satisfechas del Mochuelo y el Tiñoso.

—¡Sí!

—También yo —confesó Roque, el Moñigo; y rió en torno al comprobar la rara unanimidad de sus vísceras.

Los pantalones seguían sin aparecer. Tanteando llegaron a la boca del túnel. Tenían los traseros salpicados de carbonilla y el temor por haber extraviado los calzones plasmaba en sus rostros una graciosa expresión de estupor. Ninguno se atrevió a reír, sin embargo. El presentimiento de unos padres y un maestro airados e implacables no dejaba mucho lugar al alborozo. De improviso divisaron, cuatro metros por delante, en medio del senderillo que flanqueaba la vía, un pingajo informe y negruzco. Lo recogió Roque, el Moñigo, y los tres lo examinaron con detenimiento. Sólo Daniel, el Mochuelo, osó, al fin, hablar:

—Es un trozo de mis pantalones —balbuceó con un hilo de voz.

El resto de la ropa fue apareciendo, disgregada en minúsculos fragmentos, a lo largo del sendero. La onda de la velocidad había arrebatado las prendas, que el tren deshizo entre sus hierros como una fiera enfurecida.

De no ser por este inesperado contratiempo nadie se hubiera enterado de la aventura. Pero esos entes siniestros, que constantemente flotan en el aire, les enredaron el asunto una vez más. Claro que, ni aun sopesando la diablura en toda su dimensión, se justificaba el castigo que les impuso don Moisés, el maestro. El Peón siempre se excedía, indefectiblemente. Además, el castigar a los alumnos parecía procurarle un indefinible goce o, por lo menos, la comisura derecha de su boca se distendía, en esos casos, hasta casi morder la negra patilla de bandolero.

¿Que habían escandalizado entrando en el pueblo sin calzones? ¡Claro! Pero ¿qué otra cosa cabía hacer en un caso semejante? ¿Debe extremarse el pudor hasta el punto de no regresar al pueblo por el hecho de haber perdido los calzones? Resultaba tremendo para Daniel, el Mochuelo, Roque, el Moñigo, y Germán, el Tiñoso, tener que decidir siempre entre unas disyuntivas tan penosas. Y era aún más mortificante la exacerbación que producían en don Moisés, el maestro, sus cosas, unas cosas que ni de cerca ni de lejos le atañían.

XV

Don Moisés, el maestro, decía a menudo que él necesitaba una mujer más que un cocido. Pero llevaba diez años en el pueblo diciéndolo y aún seguía sin la mujer que necesitaba. Las Guindillas, las Lepóridas y don José, el cura, que era un gran santo, reconocían que el Peón necesitaba una mujer. Sobre todo por dignidad profesional. Un maestro no puede presentarse en la escuela de cualquier manera; no es lo mismo que un quesero o un herrero, por ejemplo. El cargo exige. Claro que lo primero que exige el cargo es una remuneración suficiente, y don Moisés, el Peón, carecía de ella. Así es que tampoco tenía nada de particular que don Moisés, el Peón, se embutiese cada día en el mismo traje con que llegó al pueblo, todo tazado y remendado, diez años atrás, e incluso que no gastase ropa interior. La ropa interior costaba un ojo de la cara y el maestro precisaba los dos ojos de la cara para desempeñar su labor.

Camila, la Lepórida, se portó mal con él; eso desde luego; don Moisés, el maestro, anduvo enamoriscado de ella una temporada y ella le dio calabazas, porque decía que era rostritorcido y tenía la boca descentrada. Esto era una ton-

202

tería, y Paco, el herrero, llevaba razón al afirmar que eso no constituía inconveniente grave, ya que la Lepórida, si se casaba con él, podría centrarle la boca y enderezarle la cara a fuerza de besos. Pero Camila, la Lepórida, no andaba por la labor y se obstinó en que para besar la boca del maestro habría de besarla en la oreja y esto le resultaba desagradable. Paco, el herrero, no dijo que sí ni que no, pero pensó que siempre sería menos desagradable besar la oreja de un hombre que besar los hocicos de una liebre. Así que la cosa se disolvió en agua de borrajas. Camila, la Lepórida, continuó colgada del teléfono y don Moisés, el maestro, acudiendo diariamente a la escuela sin ropa interior, con la vuelta de los puños tazada y los codos agujereados.

El día que Roque, el Moñigo, expuso a Daniel, el Mochuelo, y Germán, el Tiñoso, sus proyectos fue un día soleado de vacación, en tanto Pascual, el del molino, y Antonio, el Buche, disputaban una partida en el corro de bolos.

—Oye, Mochuelo —dijo de pronto—; ¿por qué no se casa la Sara con el Peón?

Por un momento, Daniel, el Mochuelo, vio los cielos abiertos. ¿Cómo siendo aquello tan sencillo y pertinente no se le ocurrió antes a él?

—¡Claro! —replicó—. ¿Por qué no se casan?

—Digo —agregó a media voz el Moñigo—, que para casarse dos basta con que se entiendan en alguna cosa. La Sara y el Peón se parecen en que ninguno de los dos me puede ver a mí ni en pintura.

A Daniel, el Mochuelo, iba pareciéndole el Moñigo un ser inteligente. No veía manera de cambiar de exclamación, tan perfecto y sugestivo le parecía todo aquello.

—¡Claro! —dijo.

Prosiguió el Moñigo:

—Figúrate lo que sería vivir yo en mi casa con mi padre, los dos solos, sin la Sara. Y en la escuela, don Moisés siempre me tendría alguna consideración por el hecho de ser hermano de su mujer e incluso a vosotros por ser los mejores amigos del hermano de su mujer. Creo que me explico, ¿no?

De la contumacia del Mochuelo se infería su desbordado entusiasmo.

—¡Claro! —volvió a decir.

—¡Claro! —adujo el Tiñoso, contagiado.

El Moñigo movió la cabeza dubitativamente:

—El caso es que ellos se quieran casar —dijo.

—¿Por qué no van a querer? —afirmó el Mochuelo—. El Peón hace diez años que necesita una mujer y a la Sara no le disgustaría que un hombre le dijese cuatro cosas. Tu hermana no es guapa.

—Es fea como un diablo, ya lo sé; pero también es fea la Lepórida.

—¿Es escrupulosa la Sara? —dijo el Tiñoso.

—Qué va; si le cae una mosca en la leche se ríe y le dice: «Prepárate, que vas de viaje», y se la bebe con la leche como si nada. Luego se ríe otra vez —dijo Roque, el Moñigo.

—¿Entonces? —dijo el Tiñoso.

—La mosca ya no vuelve a darle guerra; es cosa de un momento. Casarse es diferente —dijo el Moñigo.

Los tres permanecieron un rato silenciosos. Al cabo, Daniel, el Mochuelo, dijo:

—¿Por qué no hacemos que se vean?

—¿Cómo? —inquirió el Moñigo.

El Mochuelo se levantó de un salto y se palmeó el polvo de las posaderas:

—Ven, ya verás.

Salieron de la bolera a la carretera. La actitud del Mochuelo revelaba una febril excitación.

—Escribiremos una nota al Peón como si fuera la propia Sara, ¿me entiendes? Tu hermana sale todas las tardes a la puerta de casa para ver pasar la gente. Le diremos que le espera a él y cuando él vaya y la vea creerá que le está esperando de verdad.

Roque, el Moñigo, adoptaba un gesto hosco, enfurruñado, habitual en él cuando algo no le convencía plenamente.

—¿Y si el Peón conoce la letra? —arguyó.

—La desfiguraremos —intervino, entusiasmado, el Tiñoso.

Añadió el Moñigo:

—¿Y si le enseña la carta a la Sara?

Daniel caviló un momento.

—Le diremos que queme la carta antes de ir a verla y que jamás le hable de esa carta si no quiere que se muera de vergüenza y que no le vuelva a mirar a la cara.

—¿Y si no la quema? —argumentó, obstinado, el Moñigo.

—La quemará. El asqueroso Peón tiene miedo de quedarse sin mujer. Ya es un poco viejo y él sabe que tuerce la boca. Y que eso hace feo. Y que a las mujeres no les gusta besar la boca de un hombre en la oreja. Ya se lo dijo la Lepórida bien claro —dijo el Mochuelo.

Roque, el Moñigo, añadió como hablando consigo mismo:

—Él no dirá nada por la cuenta que le tiene; le queda canguelo desde que la Camila le dio calabazas. Tienes razón.

Paulatinamente renacía la confianza en el ancho pecho del Moñigo. Ya se veía sin la Sara, sin la constante amenaza de la regla del Peón sobre su cabeza en la escuela; disfrutando de una independencia que hasta entonces no había conocido.

—¿Cuándo le escribimos la carta, entonces? —dijo.

—Ahora.

Estaban frente a la quesería y entraron en ella. El Mochuelo tomó un lápiz y un papel y escribió con caracteres tipográficos: «Don Moisés, si usted necesita una mujer, yo necesito un hombre. Le espero a las siete en la puerta de mi casa. No me hable jamás de esta carta y quémela. De otro modo me moriría de vergüenza y no volvería a mirarle a usted a la cara. Tropiécese conmigo como por casualidad. Sara.»

A la hora de comer, Germán, el Tiñoso, introdujo la carta al maestro por debajo de la puerta de su casa y a las siete menos cuarto de aquella misma tarde entraba con Daniel, el Mochuelo, en casa del Moñigo a esperar los acontecimientos desde el ventanuco del pajar.

El asunto estaba bien planeado y todo, mas a pique estuvo de venirse abajo. La Sara, como de costumbre, tenía encerrado al Moñigo en el pajar cuando ellos llegaron. Y eran las siete menos cuarto. Daniel, el Mochuelo, presumía que, necesitando como necesitaba el Peón una mujer desde hacía diez años, no se retrasaría ni un solo minuto.

La voz de la Sara se desgranaba por el hueco de la escalera. A pesar de haber oído un millón de veces aquella retahíla, Daniel, el Mochuelo, no pudo evitar ahora un estremecimiento:

—Cuando mis ojos vidriados y desencajados por el horror de la inminente muerte fijen en Vos sus miradas lánguidas y moribundas...

El Moñigo debía de saber que eran cerca de las siete, porque respondía atropelladamente, sin dar tiempo a la Sara a concluir la frase:

—Jesús misericordioso, tened compasión de mí.

La Sara se detuvo al oír que alguien subía la escalera. Eran el Mochuelo y el Tiñoso.

—Hola, Sara —dijo el Mochuelo, impaciente—. Perdona al Moñigo, no lo volverá a hacer.

—Qué sabes tú lo que ha hecho, zascandil —dijo ella.

—Algo malo será. Tú no le castigas nunca sin un motivo. Tú eres justa.

La Sara sonrió, complacida.

—Aguarda un momento —dijo, y prosiguió rápidamente, ansiando dar cuanto antes cima a su castigo:

—Cuando, perdido el uso de los sentidos, el mundo todo desaparezca de mi vista y gima yo entre las angustias de la última agonía y los afanes de la muerte...

—Jesús misericordioso, tened compasión de mí. Sara, ¿has terminado?

Ella cerró el devocionario.

—Sí.

—Hale, abre.

—¿Escarmentaste?

—Sí, Sara; hoy me metiste mucho miedo.

Se levantó la Sara y abrió la puerta del pajar visiblemente satisfecha. Comenzó a bajar la escalera con lentitud. En el primer rellano se volvió.

—Ojo y no hagáis perrerías —dijo, como estremecida por un difuso presentimiento.

El Moñigo, el Mochuelo y el Tiñoso se precipitaron hacia el ventanuco del pajar sin cambiar una palabra. El Moñigo retiró las telarañas de un manotazo y se asomó a la calle. Inquirió angustiado el Mochuelo:

—¿Salió ya?

—Está sacando la silla y la labor. Ya se sienta. —Su voz se hizo repentinamente apremiante—. ¡El Peón viene por la esquina de la calle!

El corazón del Mochuelo se puso a bailar locamente, más locamente aún que cuando oyó silbar al rápido a la entrada del túnel y él le esperaba dentro con los calzones bajados, o cuando su madre preguntó a su padre, con un extraño retintín, si tenían al gran duque como un huésped de lujo. Lo de hoy era aún mucho más emocionante y trascendental que todo aquello. Puso su cara entre las del Moñigo y el Tiñoso y vio que don Moisés se detenía frente a la Sara, con el cuerpo un poco ladeado y las manos en la espalda, y le guiñaba reiteradamente un ojo y le sonreía hasta la oreja por el extremo izquierdo de la boca. La Sara le miraba atónita y, al fin, azorada por tantos guiños y tantas medias sonrisas, balbuceó:

—Buenas tardes, don Moisés, ¿qué dice de bueno?

Él entonces se sentó en el banco de piedra junto a ella. Tornó a hacer una serie de muecas veloces con la boca, con lo que demostraba su contento.

La Sara le observaba asombrada.

—Ya estoy aquí, nena —dijo él—. No he sido moroso, ¿verdad? De lo demás no diré ni una palabra. No te preocupes.

Don Moisés hablaba muy bien. En el pueblo no se ponían de acuerdo sobre quién era el que mejor hablaba de todos, aunque en los candidatos coincidían: don José, el cura, don Moisés, el maestro, y don Ramón, el alcalde.

La melosa voz del Peón a su lado y el lenguaje abstruso que empleaba desconcertaron a la Sara.

—¿Le... le pasa a usted hoy algo, don Moisés? —dijo.

Él tornó a guiñarle el ojo con un sentido de entendimiento y complicidad y no contestó.

Arriba, en el ventanuco del pajar, el Moñigo susurró en la oreja del Mochuelo:

—Es un cochino charlatán. Está hablando de lo que no debía.

—¡Chist!

El Peón se inclinó ahora hacia la Sara y la cogió osadamente una mano.

—Lo que más admiro en las mujeres es la sinceridad, Sara; gracias. Tú y yo no necesitamos de recovecos ni de disimulos —dijo.

Tan roja se le puso la cara a la Sara que su pelo parecía menos rojo. Se acercaba la Chata, con un cántaro de agua al brazo, y la Sara se deshizo de la mano del Peón.

—¡Por Dios, don Moisés! —cuchicheó en un rapto de inconfesada complacencia—. ¡Pueden vernos!

Arriba, en el ventanuco del pajar, Roque, el Moñigo, y Daniel, el Mochuelo, y Germán, el Tiñoso, sonreían bobamente, sin mirarse.

Cuando la Chata dobló la esquina, el Peón volvió a la carga.

—¿Quieres que te ayude a coser esa prenda? —dijo. Ahora le cogía las dos manos. Forcejearon. La Sara, en un movimiento instintivo, ocultó la prenda tras de sí, atosigada de rubores.

—Las manos quietas, don Moisés —rezongó.

Arriba, en el pajar, el Moñigo rió quedamente:

—Ji, ji, ji. Es una braga —dijo.

El Mochuelo y el Tiñoso rieron también. La confusión y el aparente enojo de la Sara no ocultaban un vehemente regodeo. Entonces el Peón comenzó a decirle sin cesar cosas bonitas de sus ojos y de su boca y de su pelo, sin darle tiempo a respirar, y a la legua se advertía que el corazón virgen de la Sara, huérfano aún de requiebros, se derretía como el hielo bajo el sol. Al concluir la retahíla de piropos, el maestro se quedó mirando de cerca, fijamente, a la Sara.

—¿A ver si has aprendido ya cómo son tus ojos, nena? —dijo.

Ella rió, entontecida.

—¡Qué cosas tiene, don Moisés! —dijo.

Él insistió. Se notaba que la Sara evitaba hablar para no defraudar con sus frases vulgares al Peón, que era uno de los que mejor hablaban en el pueblo. Sin duda la Sara quería recordar algo bonito que hubiese leído, algo elevado y poético, pero lo primero que le vino a las mientes fue lo que más veces había repetido.

—Pues... mis ojos son... son... vidriados y desencajados, don Moisés —dijo, y tornó a reír en corto, crispadamente.

La Sara se quedó tan terne. La Sara no era lista. Entendía que aquellos adjetivos por el mero hecho de venir en el devocionario debían de ser más apropiados para aplicarlos a los ángeles que a los hombres y se quedó tan a gusto. Ella interpretó la expresión de asombro que se dibujó en la cara del maestro favorablemente, como un indicio de sorpresa al constatar que ella no era tan zafia y ruda como seguramente había él imaginado. En cambio, el Moñigo, allá arriba, receló algo:

—La Sara ha debido decir una bobada, ¿no?

El Mochuelo aclaró:

—Los ojos vidriados y desencajados son los de los muertos.

El Moñigo sintió deseos de arrojar un ladrillo sobre la cabeza de su hermana. No obstante, el Peón sonrió hasta la oreja derecha después de su pasajero estupor. Debía de necesitar mucho una mujer cuando transigía con aquello sin decir nada. Tornó a requebrar a la Sara con mayor ahínco y al cuarto de hora ella estaba como abobada, con las mejillas rojas y la mirada perdida en el vacío, igual que una sonámbula. El Peón quiso asegurarse la mujer que necesitaba:

—Te quiero, ¿sabes, Sara? Te querré hasta el fin del mundo. Vendré a verte todos los días a esta misma hora.

Y tú, tú, dime —le cogía una mano otra vez, aparentando un efervescente apasionamiento—, ¿me querrás siempre?

La Sara lo miró como enajenada. Las palabras le acudían a la boca con una fluidez extraña; era como si ella no fuese ella misma; como si alguien hablase por ella desde dentro de su cuerpo.

—Le querré, don Moisés —dijo—, hasta que, perdido el uso de los sentidos, el mundo todo desaparezca de mi vista y gima yo entre las angustias de la última agonía y los afanes de la muerte.

—¡Así! —dijo el maestro, entusiasmado, y le oprimió las manos y guiñó dos veces los ojos y otras cuatro se le distendió la boca hasta la oreja y, al fin, se marchó y antes de llegar a la esquina volvió varias veces el rostro y sonrió convulsivamente a la Sara.

Así se hicieron novios la Sara y el Peón. Con Daniel, el Mochuelo, estuvieron un poco desconsiderados, teniendo en cuenta la parte que él había jugado en aquel entendimiento. Habían sido novios año y medio y ahora que él tenía que marchar al colegio a empezar a progresar se les ocurría fijar la boda para el dos de noviembre, el día de las Ánimas Benditas. Andrés, «el hombre que de perfil no se le ve», tampoco aprobó aquella fecha y lo dijo así sin veladuras:

—Los hombres que van buscando la mujer se casan en primavera; los que van buscando la fregona se casan en invierno. No falla nunca.

A la Nochebuena siguiente, la Sara estaba de muy buen humor. Desde que se hiciera novia del Peón se había suavizado su carácter. Hasta tal punto que, desde entonces, sólo dos veces había encerrado al Moñigo en el pajar para leerle las recomendaciones del alma. Ya era ganar algo. Por añadidura, el Moñigo sacaba mejores notas en la escuela y ni una sola vez tuvo que levantar la Historia Sagrada, con sus más de cien grabados a todo color, por encima de la cabeza.

Daniel, el Mochuelo, en cambio, sacó bien poco de todo aquello.

A veces lamentaba haber intervenido en el asunto, pues siempre resultaba más confortador sostener la Historia Sagrada viendo que el Moñigo hacía otro tanto a su lado, que tener que sostenerla sin compañía.

El día de Nochebuena, la Sara andaba de muy buen talante y le preguntó al Moñigo mientras daba vuelta al pollo que se asaba en el horno:

—Dime, Roque, ¿escribiste tú una carta al maestro diciéndole que yo le quería?

—No, Sara —dijo el Moñigo.

—¿De veras? —dijo ella.

—Te lo juro, Sara —añadió.

Ella se llevó un dedo que se había quemado a la boca y cuando lo sacó dijo:

—Ya decía yo. Sería lo único bueno que hubieras hecho en tu vida. Anda. Aparta de ahí, zascandil.

XVI

Don José, el cura, que era un gran santo, utilizaba, desde el púlpito, todo género de recursos persuasivos: crispaba los puños, voceaba, reconvenía, sudaba por la frente y el pescuezo, se mesaba los escasos cabellos blancos, recorría los bancos con su índice acusador e incluso una mañana se rasgó la sotana de arriba abajo en uno de los párrafos más patéticos y violentos que recordaría siempre la historia del valle. Así y todo, la gente, particularmente los hombres, no le hacían demasiado caso. La misa les parecía bien, pero al sermón le ponían mala cara y le fruncían el ceño. La Ley de Dios no ordenaba oír sermón entero todos los domingos y fiestas de guardar. Por lo tanto, don José, el cura, se sobrepasaba en el cumplimiento de la Ley Divina. Decían de él que pretendía ser más papista que el Papa y que eso no estaba bien y menos en un sacerdote; y todavía menos en un sacerdote como don José, tan piadoso y comprensivo, de ordinario, para las flaquezas de los hombres.

Eran un poco torvos y adustos y desagradecidos los hombres del valle. No obstante, un franco espíritu deportivo les infundía un notorio aliento humano. Los detractores de don José, el cura, como orador, decían que no se podía estimar que hablase bien un hombre que a cada dos por tres decía «en realidad». Esto era cierto. Claro que puede hablarse bien diciendo «en realidad» a cada dos por tres. Ambas cosas, a juicio de Daniel, el Mochuelo, resultaban perfectamente compatibles. Mas algunos no lo entendían así y si asistían a un sermón de don José era para jugarse el dinero a pares o nones, sobre las veces que el cura decía, desde el púlpito, «en realidad». La Guindilla mayor aseguraba que don José decía «en realidad» adrede y que ya sabía que los hombres tenían por costumbre jugarse el dinero durante los sermones a pares o nones, pero que lo prefería así, pues siquiera de esta manera le escuchaban y entre «en realidad» y «en realidad» algo de fundamento les quedaría. De otra forma se exponía a que los hombres pensaran en la hierba, la lluvia, el maíz o las vacas, mientras él hablaba, y esto ya sería un mal irremediable.

La gente del valle era obstinadamente individualista. Don Ramón, el alcalde, no mentía cuando afirmaba que cada individuo del pueblo preferiría morirse antes que mover un dedo en beneficio de los demás. La gente vivía aislada y sólo se preocupaba de sí misma. Y a decir verdad, el individualismo feroz del valle sólo se quebraba las tardes de los domingos, al caer el sol. Entonces los jóvenes se emparejaban y escapaban a los prados o a los bosques y los viejos se metían en las tascas a fumar y a beber. Esto era lo malo. Que la gente sólo perdiese su individualismo para satisfacer sus instintos más bajos.

Don José, el cura, que era un gran santo, arremetió una mañana contra las parejas que se marchaban a los prados o a los bosques los domingos, al anochecer; contra las que se apretujaban en el baile cerrado; contra los que se emborrachaban y se jugaban hasta los pelos en la taberna del Chano y, en fin, contra los que durante los días festivos segaban el heno o cavaban las patatas o cuchaban los maizales. Fue aquél el día en que don José, el cura, en un arrebato, se rasgó la sotana de arriba abajo. En definitiva, el cura no dejó títere con cabeza, ya que en el valle podían contarse con los dedos de la mano los que dejaban transcurrir una festividad sin escapar a los prados o a los bosques, apretujarse en el baile cerrado, emborracharse y jugar en la tasca del Chano o segar el heno, cuchar los maizales o cavar las patatas. El señor cura afirmó que, «en realidad, el día del Juicio Final habría muy poca gente del pueblo a la derecha de Nuestro Señor, si las actuales costumbres no se enmendaban radicalmente».

Una comisión, presidida por la Guindilla mayor, visitó al cura en la sacristía al concluir la misa.

—Díganos, señor cura, ¿está en nuestras manos cambiar estas costumbres tan corrompidas? —dijo la Guindilla.

El anciano párroco carraspeó, sorprendido. No esperaba una reacción tan rápida. Escrutó, uno tras otro, aquellos rostros predilectos del Señor y volvió a carraspear. Ganaba tiempo.

—Hijas mías —dijo, al fin—, está en vuestras manos, si estáis bien dispuestas.

En el atrio, Antonio, el Buche, abonaba dos pesetas a Andrés, el zapatero, porque don José había dicho «en realidad» cuarenta y dos veces y él había jugado a nones.

En la sacristía, don José, el cura, agregó:

—Podemos organizar un centro donde la juventud se distraiga sin ofender al Señor. Con buena voluntad eso no sería difícil. Un gran salón con toda clase de entretenimientos. A las seis podríamos hacer cine los domingos y días festivos. Claro que proyectando solamente películas morales, católicas a machamartillo.

La Guindilla mayor hizo palmitas.

—El local podría ser la cuadra de Pancho. No tiene ganado ya y quiere venderla. Podríamos tomarla en arriendo, don José —dijo con entusiasmo.

Catalina, la Lepórida, intervino:

—El Sindiós no cederá la cuadra, señor cura. Es un tunante sin fe. Antes morirá que dejarnos la cuadra para un fin tan santo.

Daniel, el Mochuelo, que había ayudado a misa, escuchaba boquiabierto la conversación de don José con las mujeres. Pensó marcharse, pero la idea de que en el pueblo iba a montarse un cine lo contuvo.

Don José, el cura, apaciguó a Catalina, la Lepórida:

—No formes juicios temerarios, hija. Pancho, en el fondo, no es malo.

La Guindilla mayor saltó, como si la pinchasen:

—Padre, ¿es que se puede ser bueno sin creer en Dios? —dijo.

Camila, la otra Lepórida, infló su exuberante pechuga y cortó:

—Pancho por ganar una peseta sería capaz de vender el alma al diablo. Lo sé porque lo sé.

Intervino, toda excitada, Rita, la Tonta, la mujer del zapatero:

—El alma se la ha regalado ya ese tunante. El diablo no necesita darle ni dos reales por ella. Eso lo sabemos todos.

Don José, el cura, impuso, finalmente, su autoridad. Nombró una comisión, presidida por la Guindilla, que llevaría a cabo las gestiones con Pancho, el Sindiós, y se desplazaría a la ciudad para adquirir un proyector cinematográfico. A todos les pareció de perlas la decisión. Al terminar su perorata, don José anunció que las próximas colectas durante dos meses tendrían por finalidad adquielogiar - to praise

rir una sotana nueva para el párroco. Todos elogiaron la idea y la Guindilla, creyéndose obligada, inició la suscripción con un duro.

Tres meses después, la cuadra de Pancho, el Sindiós, bien blanqueada y desinfectada, se inauguró como cine en el valle. La primera sesión fue un gran éxito. Apenas quedó en los montes o en los bosques alguna pareja recalcitrante. Mas a las dos semanas surgió el problema. No había disponibles más películas «católicas a machamartillo». Se abrió un poco la mano y hubo necesidad de proyectar alguna que otra frivolidad. Don José, el cura, tranquilizaba su conciencia, asiéndose, como un náufrago a una tabla, a la teoría del mal menor.

—Siempre estarán mejor recogidos aquí que sobándose en los prados —decía.

Transcurrió otro mes y la frivolidad de las películas que enviaban de la ciudad iba en aumento. Por otro lado, las parejas que antes marchaban a los prados o a los bosques al anochecer aprovechaban la penumbra de la sala para arrullarse descomedidamente.

Una tarde se dio la luz en plena proyección y Pascualón, el del molino, fue sorprendido con la novia sentada en las rodillas. La cosa iba mal y, a finales de octubre, don José, el cura, que era un gran santo, convocó en su casa a la comisión.

—Hay que tomar medidas urgentes. En realidad ni las películas son ya morales, ni los espectadores guardan en la sala la debida compostura. Hemos caído en aquello contra lo que luchábamos —dijo.

—Pongamos luz en la sala y censuremos duramente las películas —arguyó la Guindilla mayor.

A la vuelta de muchas discusiones se aprobó la sugerencia de la Guindilla. La comisión de censura quedó integrada por don José, el cura, la Guindilla mayor y Tri-

217

no, el sacristán. Los tres se reunían los sábados en la cuadra de Pancho y pasaban la película que se proyectaría al día siguiente.

Una tarde detuvieron la prueba en una escena dudosa.

—A mi entender esa marrana enseña demasiado las piernas, don José —dijo la Guindilla.

—Eso me estaba pareciendo a mí —dijo don José. Y volviendo el rostro hacia Trino, el sacristán, que miraba la imagen de la mujer sin pestañear y boquiabierto, le conminó—: Trino, o dejas de mirar así o te excluyo de la comisión de censura.

Trino era un pobre hombre de escaso criterio y ninguna voluntad. Poseía una mirada blanda y acuosa y carecía de barbilla. Todo ello daba a su rostro una torpe y bobalicona expresión. Cuando andaba se acentuaba su torpeza, como si le costase un esfuerzo desplazar a cada paso el volumen de aire que necesitaba su cuerpo. Una completa calamidad. Claro que hasta el más simple sirve para algo y Trino, el sacristán, era casi un virtuoso tocando el armonio.

Ante la reprimenda del párroco, Trino humilló los ojos y sonrió bobamente, contristado. Al cura le asistía la razón, pero, ¡caramba!, aquella mujer de la película tenía unas pantorrillas admirables, como no se veían frecuentemente por el mundo.

Don José, el cura, veía que cada día crecían las dificultades. Resultaba peliagudo luchar contra las apetencias instintivas de todo el valle. Trino mismo, a pesar de ser censor y sacristán, pecaba de deseo y pensamiento con aquellas mujeronas que mostraban con la mayor desvergüenza las piernas en la pantalla. Era una tarea ímproba y él se encontraba ya muy viejo y cansado.

El pueblo acogió con destemplanza las bombillas distribuidas por la sala y encendidas durante la proyección.

El primer día las silbaron; el segundo las rompieron a patatazos. La comisión se reunió de nuevo. Las bombillas debían ser rojas para no perturbar la visibilidad. Mas entonces la gente la tomó con los cortes. Fue Pascualón, el del molino, quien inició el plante.

—Mire, doña Lola, para mí si me quitan las piernas y los besos se acabó el cine —dijo.

Otros mozos lo secundaron:

—O dan las películas sin cortar o volvemos a los bosques.

Otra vez se reunió la comisión. Don José, el cura, estaba excitadísimo:

—Se acabó el cine y se acabó todo. Propongo a la comisión que ofrezca el aparato de cine a los ayuntamientos de los alrededores.

La Guindilla chilló:

—Venderemos una ocasión próxima de pecado, don José.

El párroco inclinó la cabeza abatido. La Guindilla tenía razón, le sobraba razón esta vez. Vender la máquina de cine era comerciar con el pecado.

—Lo quemaremos entonces —dijo, sombrío. Y al día siguiente, reunidos en el corral del párroco los elementos de la comisión, se quemó el aparato proyector. Junto a sus cenizas, la Guindilla mayor, en plena fiebre inquisidora, proclamó su fidelidad a la moral y su decisión inquebrantable de no descansar hasta que ella reinase sobre el valle.

—Don José —le dijo al cura, al despedirse—, seguiré luchando contra la inmoralidad. No lo dude. Yo sé el modo de hacerlo.

Y al domingo siguiente, al anochecer, tomó una linterna y salió sola a recorrer los prados y los montes. Tras los zarzales y en los lugares más recónditos y espesos encontraba alguna pareja de tórtolos arrullándose. Proyectaba sobre los rostros confundidos el haz luminoso de la linterna.

—Pascualón, Elena, estáis en pecado mortal —decía tan sólo. Y se retiraba.

Así recorrió los alrededores sin fatigarse, repitiendo incansablemente su terrible admonición:

—Fulano, Fulana, estáis en pecado mortal.

«Ya que los mozos y mozas del pueblo tienen la conciencia acorchada, yo sustituiré a la voz de su conciencia», se decía. Era una tarea ardua la que echaba sobre sí, pero al propio tiempo no estaba exenta de atractivos.

Los mozos del pueblo soportaron el entrometimiento de la Guindilla en sus devaneos durante tres domingos consecutivos. Pero al cuarto llegó la insurrección. Entre todos la rodearon en un prado. Unos querían pegarla, otros desnudarla y dejarla al relente, amarrada a un árbol, toda la noche. Al fin se impuso un tercer grupo, que sugirió echarla de cabeza a El Chorro. La Guindilla, abatida, dejó caer la linterna al suelo y se dispuso a entrar en las largas listas del martirologio cristiano; aunque, de vez en cuando, lloriqueaba, y pedía, entre hipo e hipo, un poquitín de clemencia.

Profiriendo gritos e insultos, la condujeron hasta el puente. La corriente de El Chorro vertía el agua con violencia en la Poza del Inglés. Flotaba, sobre la noche del valle, un ambiente tétrico y siniestro. La multitud parecía enloquecida. Todo estaba dispuesto para su fin y la Guindilla, mentalmente, rezó un acto de contrición.

Y, a fin de cuentas, si la Guindilla no compartió aquella noche el lecho del río, a Quino, el Manco, había de agradecérselo, aunque él y la difunta Mariuca hubieran comido, según ella, el cocido antes de las doce. Mas, por lo visto, el Manco aún conservaba en su pecho un asomo de dignidad, un vivo rescoldo de nobleza. Se interpuso con ardor entre la Guindilla y los mozos y la defendió como un hombre. Hasta se enfureció y agitó el muñón en el aire como si fuera el mástil de una bandera arriada. Los mozos, cuyos malos humos se habían desvanecido en el trayecto, consideraron suficiente el susto y se retiraron.

La Guindilla se quedó sola, frente por frente del Manco. No sabía qué hacer. La situación resultaba para ella un poco embarazosa. Soltó una risita de compromiso y luego se puso a mirarse la punta de los pies. Volvió a reír y dijo «bueno», y, al fin, sin darse bien cuenta de lo que hacía, se inclinó y besó con fuerza el muñón de Quino. Inmediatamente echó a correr, asustada, carretera adelante, como una loca.

Al día siguiente, antes de la misa, la Guindilla mayor se acercó al confesonario de don José.

—Ave María Purísima, padre —dijo.

—Sin pecado concebida, hija.

—Padre, me acuso... me acuso de haber besado a un hombre en la oscuridad de la noche —añadió la Guindilla.

Don José, el cura, se santiguó y alzó los ojos al techo del confesonario, resignado.

—Alabado sea el Señor —musitó. Y sintió una pena inmensa por aquel pueblo.

XVII

Daniel, el Mochuelo, le perdonaba todo a la Guindilla menos el asunto del coro; la despiadada forma en que le puso en evidencia ante los ojos del pueblo entero y el convencimiento de ella de su falta de definición sexual.

Esto no podría perdonárselo por mil años que viviera. El asunto del coro era un baldón; el mayor oprobio que puede soportar un hombre. La infamia exigía contramedidas con las que demostrar su indiscutible virilidad.

En la iglesia ya lo esperaban todos los chicos y chicas de las escuelas, y Trino, el sacristán, que arrancaba agrias y gemebundas notas del armonio cuando llegaron. Y la asquerosa Guindilla también estaba allí, con una varita en la mano, erigida, espontáneamente, en directora.

Al entrar ellos, los ordenó a todos por estatura; después levantó la varita por encima de la cabeza y dijo:

—Veamos. Quiero ensayar con vosotros el *Pastora Divina* para cantarlo el día de la Virgen. Veamos —repitió.

Hizo una señal a Trino y luego bajó la varita y los niños y niñas cantaron cada uno por su lado:

Pas-to-ra Di-vi-naaa
seee-guir-te yo quie-rooo...

Cuando ya empezaban a sintonizar las cuarenta y dos voces, la Guindilla mayor dibujó un cómico gesto de desolación y dijo:

—¡Basta, basta! No es eso. No es «Pas», es «Paaas». Así: «Paaas-t o-ra Di-vi-na, seee-guir-te yo quierooo, poor valles y o-te-roos, tuuus hue-llas en pooos». Veamos —repitió.

Dio con la varita en la cubierta del armonio y de nuevo atrajo la atención de todos. Los muros del templo se estremecieron bajo los agudos acentos infantiles. Al poco rato, la Guindilla puso un acusado gesto de asco. Luego señaló al Moñigo con la varita.

—Tú puedes marcharte, Roque; no te necesito. ¿Cuándo cambiaste la voz?

Roque, el Moñigo, humilló la mirada:

—¡Qué sé yo! Dice mi padre que ya de recién nacido berreaba con voz de hombre.

Aunque cabizbajo, el Moñigo decía aquello con orgullo, persuadido de que un hombre bien hombre debe definirse desde el nacimiento. Los primeros de la escuela acusaron su manifestación con unas risitas de superioridad. En cambio, las niñas miraron al Moñigo con encendida admiración.

Al concluir otra prueba, doña Lola prescindió de otros dos chicos porque desafinaban. Una hora después, Germán, el Tiñoso, fue excluido también del coro porque tenía una voz en transición y la Guindilla «quería formar un coro sólo de tiples». Daniel, el Mochuelo, pensó que ya no pintaba allí nada y deseó ardientemente ser excluido. No le gustaba, además, tener voz de tiple. Pero el ensayo del primer día terminó sin que la Guindilla estimara necesario prescindir de él.

Volvieron al día siguiente y la Guindilla siguió sin excluirlo. Aquello se ponía feo. Permanecer en el coro suponía, a estas alturas, una deshonra. Era casi como dudar de la hombría de uno, y Daniel, el Mochuelo, estimaba demasiado la hombría para desentenderse de aquella selección. Mas a pesar de sus deseos y a pesar de no quedar ya más que seis varones en el coro, Daniel, el Mochuelo, continuó formando parte de él. Aquello era el desastre. Al cuarto día la Guindilla mayor, muy satisfecha, declaró:

—Ha terminado la selección. Quedáis sólo las voces puras. —Eran quince niñas y seis niños—. Espero —se dirigía ahora a los seis niños— que a ninguno de vosotros se le vaya a ocurrir cambiar la voz de aquí al día de la Virgen.

Sonrieron los niños y las niñas, tomando a orgullo aquello de tener «las voces puras». Sólo se desesperó, por lo bajo, inútilmente, Daniel, el Mochuelo. Pero ya la Guindilla estaba golpeando la cubierta del armonio para llamar la atención de Trino, el sacristán, y las veintiuna voces puras difundían por el ámbito del templo las plegarias a la Virgen:

Paaas-to-ra Di-vi-naaa
seee-guir-te yo quie-rooo
pooor va-lles y o-te-roooo
tuuus hue-llas en pooos.

Daniel, el Mochuelo, intuía lo que aquella tarde ocurrió a la salida. Los chicos descartados, capitaneados por el Moñigo, los esperaban en el atrio y, al verlos salir, formaron corro alrededor de las seis «voces puras» y comenzaron a chillar de un modo reiterativo y enojoso:

—¡Niñas, maricas! ¡Niñas, maricas! ¡Niñas, maricas!

De nada valió la intercesión de la Guindilla ni los débiles esfuerzos de Trino, el sacristán, que era ya viejo y estaba como envarado. Tampoco valieron de nada las miradas suplicantes que Daniel, el Mochuelo, dirigía a su amigo Roque. En este trance, el Moñigo olvidaba hasta las más elementales normas de la buena amistad. En el fondo del grupo agresor borboteaba un despecho irreprimible por haber sido excluidos del coro que cantaría el día de la Virgen. Pero esto no importaba nada ahora. Lo importante era que la virilidad de Daniel, el Mochuelo, estaba en entredicho y que había que sacarla con bien de aquel embrollo.

Aquella noche al acostarse tuvo una idea. ¿Por qué no ahuecaba la voz al cantar el *Pastora Divina*? De esta manera la Guindilla lo excluiría como a Roque, el Moñigo, y como a Germán, el Tiñoso. Bien pensado era la exclusión de éste lo que más le molestaba. Después de todo, Roque, el Moñigo, siempre había estado por encima de él. Pero lo de Germán era distinto. ¿Cómo iba a conservar, en adelante, su rango y su jerarquía ante un chico que tenía la voz más fuerte que él? Decididamente había que ahuecar la voz y ser excluido del coro antes del día de la Virgen.

Al día siguiente, al comenzar el ensayo, Daniel, el Mochuelo, carraspeó, buscando un efecto falso a su voz. La Guindilla tocó el armonio con la punta de la varita y el cántico se inició:

Paaas-to-ra Di-vi-naaa
seee-guir-te yo quie-rooo...

La Guindilla se detuvo en seco. Arrugaba la nariz, larguísima, como si la molestase un mal olor. Luego frunció el ceño igual que si algo no respondiera a lo que ella esperaba y se sintiera incapaz de localizar la razón de la deficiencia. Pero al segundo intento apuntó con la varita al Mochuelo, y dijo, molesta:

—Daniel, ¡caramba!, deja de engolar la voz o te doy un sopapo.

Había sido descubierto. Se puso encarnado al solo pensamiento de que los demás pudieran creer que pretendía ser hombre mediante un artificio. Él, para ser hombre, no necesitaba de fingimientos. Lo demostraría en la primera oportunidad.

A la salida, Roque, el Moñigo, capitaneando el grupo de «voces impuras», les rodeó de nuevo con su maldito estribillo:

—¡Niñas, maricas! ¡Niñas, maricas! ¡Niñas, maricas!

Daniel, el Mochuelo, experimentaba deseos de llorar. Se contuvo, sin embargo, porque sabía que su vacilante virilidad acabaría derrumbándose con el llanto ante el grupo de energúmenos de las «voces impuras».

Así llegó el día de la Virgen. Al despertarse aquel día, Daniel, el Mochuelo, pensó que no era tan descorazonador tener la voz aguda a los diez años y que tiempo sobrado tendría de cambiarla. No había razón por la que sentirse triste y humillado. El sol entraba por la ventana de su cuarto y a lo lejos el Pico Rando parecía más alto y majestuoso que de ordinario. A sus oídos llegaba el estampido ininterrumpido de los cohetes y las notas desafinadas de la charanga bajando la varga. A lo lejos, a intervalos, se percibía el tañido de la campana, donada por don Antonino, el marqués, convocando a misa mayor. A los pies de la cama tenía su traje nuevo, recién planchado, y una camisa blanca, escrupulosamente lavada, que todavía olía a añil y a jabón. No. La vida no era triste. Ahora, acodado en la ventana, podía comprobarlo. No era triste, aunque media hora después tuviera que cantar el *Pastora Divina* desde el coro de las «voces puras». No lo era, por más que a la salida «las voces impuras» les llamasen niñas y maricas.

Un polvillo dorado, de plenitud vegetal, envolvía el valle, sus dilatadas y vastas formas. Olía al frescor de los prados, aunque se adivinaba en el reposo absoluto del aire un día caluroso. Debajo de la ventana, en el manzano más próximo del huerto, un mirlo hacía gorgoritos y saltaba de rama en rama. Ahora pasaba la charanga por la carretera, hacia El Chorro y la casa de Quino, el Manco, y un grupo de chiquillos la seguía profiriendo gritos y dando volteretas. Daniel, el Mochuelo, se escondió disimuladamente, porque casi todos los chiquillos que acompañaban a la charanga pertenecían al grupo de «voces impuras».

Enseguida se avió y marchó a misa. Los cirios chisporroteaban en el altar y las mujeres lucían detonantes vestidos. Daniel, el Mochuelo, subió al coro y desde allí miró fijamente a los ojos de la Virgen. Decía don José que, a veces, la imagen miraba a los niños que eran buenos. Podría ser debido a las llamas tembloteantes de las velas, pero a Daniel, el Mochuelo, le pareció que la Virgen aquella mañana volvía los ojos a él y le miraba. Y su boca sonreía. Sintió un escalofrío y entonces le dijo, sin mover los labios, que le ofrecía el *Pastora Divina* para que las «voces impuras» no se rieran de él ni le motejaran.

Después del Evangelio, don José, el cura, que era un gran santo, subió al púlpito y empezó el sermón. Se oyó un carraspeo prolongado en los bancos de los hombres e instintivamente Daniel, el Mochuelo, comenzó a contar las veces que don José, el cura, decía «en realidad». Aunque él no jugaba a pares o nones. Pero don José decía aquella mañana cosas tan bonitas, que el Mochuelo perdió la cuenta.

—Hijos, en realidad, todos tenemos un camino marcado en la vida. Debemos seguir siempre nuestro camino, sin renegar de él —decía don José—. Algunos pensaréis que eso es bien fácil, pero, en realidad, no es así. A veces el camino que nos señala el Señor es áspero y duro. En realidad eso no quiere decir que ése no sea nuestro camino. Dios dijo: «Tomad la cruz y seguidme.»

»Una cosa os puedo asegurar —continuó—. El camino del Señor no está en esconderse en la espesura al anochecer los jóvenes y las jóvenes. En realidad, tampoco está en la taberna, donde otros van a buscarlo los sábados y los domingos; ni siquiera está en cavar las patatas o afeitar los maizales durante los días festivos. Dios mismo, en realidad, creó el mundo en seis días y al séptimo descansó. Y era Dios. Y como Dios que era, en realidad, no estaba cansado. Y, sin embargo, descansó. Descansó para enseñarnos a los hombres que el domingo había que descansar.

Don José, el cura, hablaba aquel día, sin duda, inspirado por la Virgen, y hablaba suavemente, sin estridencias. Prosiguió diciendo cosas del camino de cada uno, y luego pasó a considerar la infelicidad que en ocasiones traía el apartarse del camino marcado por el Señor por ambición o sensualidad. Dijo cosas inextricables y confusas para Daniel. Algo así como que un mendigo podía ser más feliz sin saber cada día si tendría algo que llevarse a la boca, que un rico en un suntuoso palacio lleno de mármoles y criados.

—Algunos —dijo— por ambición, pierden la parte de felicidad que Dios les tenía asignada en un camino más sencillo. La felicidad —concluyó— no está, en realidad, en lo más alto, en lo más grande, en lo más apetitoso, en lo más excelso; está en acomodar nuestros pasos al camino que el Señor nos ha señalado en la Tierra. Aunque sea humilde.

Acabó don José y Daniel, el Mochuelo, persiguió con los ojos su menuda silueta hasta el altar. Quería llenarse los ojos de él, de su presencia carnal, pues estaba seguro de que un día no lejano ocuparía una hornacina en la parroquia. Pero no sería él mismo, entonces, sino una talla en madera o una figura en escayola detestablemente pintada.

Casi le sorprendió el ruido del armonio, activado por Trino, el sacristán. La Guindilla estaba ante ellos, con la varita en la mano. Los «voces puras» carraspearon un momento. La Guindilla golpeó el armonio con la varita y Trino acometió los compases preliminares del *Pastora Divina*. Luego sonaron las voces puras, acompasadas, meticulosamente controladas por la varita de la Guindilla:

> Paaas-to-ra Di-vi-naaa
> seee-guir-te yo quie-rooo
> pooor va-lles y o-te-rooos
> tuuus hue-llas en pooos.
>
> Tuuu grey des-va-li-da
> gi-mien-do te im-plo-ra
> es-cu-cha, Se-ño-ra,
> su ar-dien-te cla-mor.
>
> Paaas-to-ra Di-vi-naaa
> seee-guir-te yo quie-rooo
> pooor va-lles y o-te-rooos
> tuuus hue-llas en pooos.

Cuando terminó la misa, la Guindilla los felicitó y los obsequió con un chupete a cada uno. Daniel, el Mochuelo, lo guardó en el bolsillo subrepticiamente, como una vergüenza.

Ya en el atrio, dos envidiosos le dijeron al pasar «niña, marica», pero Daniel, el Mochuelo, no les hizo ningún caso. Ciertamente, sin el Moñigo guardándole las espaldas, se sentía blando y como indefenso. A la puerta de la iglesia la gente hablaba del sermón de don José. Un poco apartada, a la izquierda, Daniel, el Mochuelo, divisó a la Mica. Le sonrió ella.

—Habéis cantado muy bien, muy bien —dijo, y le besó en la frente.

Los diez años del Mochuelo se pusieron ansiosamente de puntillas. Pero fue en vano. Ella ya le había besado. Ahora la Mica volvía a sonreír, pero no era a él. Se acercaba a ella un hombre joven, delgado y vestido de luto. Ambos se cogieron de las manos y se miraron de un modo que no le gustó al Mochuelo.

—¿Qué te ha parecido? —dijo ella.

—Encantador; todo encantador —dijo él.

Y entonces, Daniel, el Mochuelo, acongojado por no sabía qué extraño presentimiento, se apartó de ellos y vio que toda la gente se daba codazos y golpecitos y miraban de un lado a otro de reojo y se decían con voz queda: «Mira, es el novio de la Mica», «Mira, es el novio de la Mica», «¡Caramba! Ha venido el novio de la Mica», «Es guapo el novio de la Mica», «No está mal el novio de la Mica». Y ninguno quitaba el ojo del hombre joven delgado y vestido de luto, que tenía entre las suyas las manos de la Mica.

Comprendió entonces Daniel, el Mochuelo, que sí había motivos suficientes para sentirse atribulado aquel día, aunque el sol brillase en un cielo esplendente y cantasen los pájaros en la maleza, y agujereasen la atmósfera con sus melancólicas campanadas los cencerros de las vacas y la Virgen le hubiera mirado y sonreído. Había motivos para estar triste y para desesperarse y para desear morir y algo notaba él que se desgajaba amenazadoramente en su interior.

Por la tarde, bajó a la romería. Roque, el Moñigo, y Germán, el Tiñoso, le acompañaban. Daniel, el Mochuelo, seguía triste y deprimido; sentía la necesidad de un desahogo. En el prado olía a churros y a aglomeración humana; a alegría congestiva y vital. En el centro estaba la cucaña, diez metros más alta que otros años. Se detuvieron ante ella y contemplaron los intentos fallidos de dos mozos que no pasaron de los primeros metros. Un hombre borracho señalaba con un dedo la punta de la cucaña y decía:

—Hay allí cinco duros. El que suba y los baje que me convide.

Y se reía con un cloqueo contagioso. Daniel, el Mochuelo, miró a Roque, el Moñigo.

—Voy a subir —dijo.

Roque lo acució:

—No eres hombre.

Germán, el Tiñoso, se mostraba extrañamente precavido:

—No lo hagas. Te puedes matar.

Le empujó su desesperación, un vago afán de emular al joven enlutado, a los niños del grupo de «las voces impuras». Saltó sobre el palo y ascendió, sin esfuerzo, los primeros metros. Daniel, el Mochuelo, tenía como un fuego muy vivo en la cabeza, una mezcla rara de orgullo herido, vanidad despierta y desesperación. «Adelante —se decía—. Nadie será capaz de hacer lo que tú hagas.» «Nadie será capaz de hacer lo que tú hagas.» Y seguía ascendiendo, aunque los muslos le escocían ya. «Subo porque no me importa caerme.» «Subo porque no me importa caerme», se repetía, y al llegar a la mitad miró hacia abajo y vio que toda la gente del prado pendía de sus movimientos y experimentó vértigo y se agarró afanosamente al palo. No obstante, siguió trepando. Los músculos comenzaban a resentirse del esfuerzo, pero él continuaba subiendo. Era ya como una cucarachita a los ojos de los de abajo. El palo empezó a oscilar como un árbol mecido por el viento. Pero no sentía miedo. Le gustaba estar más cerca del cielo, poder tratar de tú al Pico Rando. Se le enervaban los brazos y las piernas. Oyó un grito a sus pies y volvió a mirar abajo.

—¡Daniel, hijo!

Era su madre, implorándole. A su lado estaba la Mica, angustiada. Y Roque, el Moñigo, disminuido, y Germán, el Tiñoso, sobre quien acababa de recobrar la jerarquía, y el grupo de «las voces puras» y el grupo de «las voces impuras», y la Guindilla mayor y don José, el cura, y Paco, el herrero, y don Antonino, el marqués, y también estaba el pueblo, cuyos tejados de pizarra ofrecían su mate superficie al sol. Se sentía como embriagado; acuciado por una ambición insaciable de dominio y potestad. Siguió trepando sordo a las reconvenciones de abajo. La cucaña era allí más delgada y se tambaleaba con su peso como un hombre ebrio. Se abrazó al palo frenéticamente, sintiendo que iba a ser impulsado contra los montes como el proyectil de una catapulta. Ascendió más. Casi tocaba ya los cinco duros donados por «los Ecos del Indiano». Pero los muslos le escocían, se le despellejaban, y los brazos apenas tenían fuerzas. «Mira, ha venido el novio de la Mica.» «Mira, ha venido el novio de la Mica», se dijo, con rabia mentalmente, y trepó unos centímetros más. ¡Le faltaba tan poco! Abajo reinaba un silencio expectante. «Niña, marica; niña, marica», murmuró, y ascendió un poco más. Ya se hallaba en la punta. La oscilación de la cucaña aumentaba allí. No se atrevía a soltar la mano para asir el galardón. Entonces acercó la boca y mordió el sobre furiosamente. No se oyó abajo ni un aplauso, ni una voz. Gravitaba sobre el pueblo el presagio de una desgracia. Daniel, el Mochuelo, empezó a descender. A mitad del palo se sintió exhausto, y entonces dejó de hacer presión con las extremidades y resbaló rápidamente sobre el palo encerado, y sintió abrasársele las piernas y que la sangre saltaba de los muslos en carne viva.

De improviso se vio en tierra firme, rodeado de un clamor estruendoso, palmetazos que le herían la espalda y cachetes y besos y lágrimas de su madre, todo mezclado. Vio al hombre enlutado que llevaba del brazo a la Mica y que le decía, sonriente: «Bravo, muchacho.» Vio al grupo de «las voces impuras» alejarse cabizbajos. Vio a su padre, haciendo aspavientos y reconviniéndole y soltando chorros de palabras absurdas que no entendía. Vio, al fin, a la Uca-uca correr hacia él, abrazársele a las piernas magulladas y prorrumpir en un torrente de lágrimas incontenibles...

Luego, de regreso a casa, Daniel, el Mochuelo, cambió otra vez de parecer en el día y se confesó que no tenía ningún motivo para estar atribulado. Después de todo, el día estaba radiante, el valle era hermoso y el novio de la Mica le había dicho sonriente: «¡Bravo, muchacho!»

XVIII

Como otras muchas mujeres, la Guindilla mayor despreció el amor mientras ningún hombre le propuso amar y ser amada. A veces, la Guindilla se reía de que el único amor de su vida hubiera nacido precisamente de su celo moralizador. Sin su afán de recorrer los montes durante las anochecidas de los domingos no hubiera soliviantado a los mozos del pueblo, y, sin soliviantar a los mozos del pueblo, no hubiera dado a Quino, el Manco, oportunidad de defenderla y, sin esta oportunidad, jamás se hubiera conmovido el seco corazón de la Guindilla mayor, demasiado ceñido y cerrado entre las costillas. Era, la de su primer y único amor, una cadena de causalidad y casualidad que si pensaba en ella le abrumaba. Son infinitos los caminos del Señor.

Los amores de la Guindilla y Quino, el Manco, tardaron en conocerse en el pueblo. Además, progresaron con una lentitud crispante. Era un paso definitivo, a la postre. Quino, el Manco, ya había pensado en ella, en la Guindilla, antes del incidente con los mozos. La Guindilla no era joven y él tampoco. Por otro lado, la Guindilla era enjuta y delgada y poseía un negocio en marcha; y un

234

evidente talento comercial. Precisamente de lo que él carecía. Últimamente, Quino estaba asfixiado por las hipotecas. Bien mirado, propiedad de él, lo que se dice de él, no restaba ni un hierbajo del huerto. Además, la Guindilla era delgada y tenía los muslos escurridos. Vamos, al parecer. Naturalmente, ni él ni nadie vieron nunca los muslos a la Guindilla. En fin, la Guindilla mayor constituía para él una solución congruente y pintiparada.

Cuando Quino, el Manco, la defendió de los mozos en el puente no lo hizo con miras egoístas. Lo hizo porque era un hombre noble y digno y detestaba la violencia, sobre todo con las mujeres. ¿Que luego se enredó la cosa y la Guindilla lo miró de este u otro modo, y le besó ardorosamente el muñón y él, al beso, sintió como el cosquilleo de un calambre a lo largo del brazo y se conmovió? Bien. Eslabones de una misma cadena. Incidencias necesarias para abordar un fin ineluctable. Designios de Dios.

El beso en la carne retorcida del muñón sirvió también para que Quino, el Manco, constatase que aún existía en su cuerpo pujanza y la eficacia de la virilidad. Aún no estaba neutralizado como sexo; contaba todavía. Y se dio en pensar en eventualidades susceptibles de ser llevadas a la práctica. Y así nació la idea de introducir una flor cada mañana a la Guindilla, por debajo de la puerta de la tienda, antes de que el pueblo despertase.

Quino, el Manco, sabía que en esta ocasión había que obrar con tiento. El pueblo aborrecía a la Guindilla y la Guindilla era una puritana y la otra Guindilla un gato escaldado. Tenía que actuar, pues, con cautela, sigilo y discreción.

Cambiaba de flor cada día y si la flor era grande introducía solamente un pétalo. Quino, el Manco, no ignoraba que una flor sin intención se la lleva el viento y una flor intencionada encierra más fuerza persuasiva que un filón de oro. Sabía también que la asiduidad y la constancia terminan por mellar el hierro.

Al mes, todo este caudal de ternuras acabó revertiendo, como no podía menos, en don José, el cura, que era un gran santo.

Dijo la Guindilla:

—Don José, ¿es pecado desear desmayarse en los brazos de un hombre?

—Depende de la intención —dijo el párroco.

—Sin más intención que desmayarse, don José.

—Pero, hija, ¿a tus años?

—Qué quiere, señor cura. Ninguna sabe cuándo le va a llegar la hora. El amor y la muerte, a traición. Y si es pecado desear desmayarse en los brazos de un hombre, yo vivo empecatada, don José, se lo advierto. Y lo mío no tiene remedio. Yo no podré desear otra cosa aunque usted me diga que ése es el mayor pecado del mundo. Ese deseo puede más que yo.

Y lloraba.

Don José movía la cabeza de un lado a otro maquinalmente, como un péndulo.

—Es Quino, ¿verdad? —dijo.

El pellejo de la Guindilla mayor se ahogó en rubores.

—Sí, él es, don José.

—Es un buen hombre, hija; pero es una calamidad —dijo el cura.

—No importa, don José. Todo tiene remedio.

—¿Qué dice tu hermana?

—No sabe nada aún. Pero ella no tiene fuerza moral para hablarme. Sería inútil que me diera consejos.

Irene, la Guindilla menor, se enteró al fin.

—Parece mentira, Lola. ¿Has perdido el juicio? —dijo.

—¿Por qué me dices eso?

—¿No lo sabes?

—No. Pero tú tampoco ignoras que en casa necesitamos un hombre.

—Cuando lo mío con Dimas no necesitábamos un hombre en casa.

—Es distinto, hermana.

—Ahora la que ha perdido la cabeza has sido tú; no hay otra diferencia.

—Quino tiene vergüenza.

—También Dimas parecía que la tenía.

—Iba por tu dinero. Dimas duró lo que las cinco mil pesetas. Tú lo dijiste.

—¿Es que crees que Quino va por tu persona?

La Guindilla mayor saltó, ofendida:

—¿Qué motivos tienes para dudarlo?

La Guindilla menor concedió:

—A la vista ninguno, desde luego.

—Además, yo no he de esconderme como tú. Yo someteré mi cariño a la ley de Dios.

Le brillaban los ojos a la Guindilla menor:

—No me hables de aquello; te lo pido por la bendita memoria de nuestros padres.

Aún en el pueblo no se barruntaba nada del noviazgo. Fue preciso que la Guindilla y Quino, el Manco, recorrieran las calles emparejados, un domingo por la tarde, para que el pueblo se enterase al fin. Y contra lo que Quino, el Manco, suponía, no se marchitaron los geranios en los balcones, ni se estremecieron las vacas en sus establos, ni se hendió la tierra, ni se desmoronaron las montañas al difundirse la noticia. Apenas unas sonrisas incisivas y unas insinuaciones de doble sentido. Menos no podía esperarse.

Dos semanas después, la Guindilla mayor fue a ver de nuevo a don José.

—Señor cura, ¿es pecado desear que un hombre nos bese en la boca y nos estruje entre sus brazos con todo su vigor, hasta destrozarnos?

—Es pecado.

—Pues yo no puedo remediarlo, don José. Peco a cada minuto de mi vida.

—Tú y Quino debéis casaros —dijo, sin más, el cura.

Irene, la Guindilla menor, puso el grito en el cielo al conocer la sentencia de don José:

—Le llevas diez años, Lola; y tú tienes cincuenta. Sé sensata; reflexiona. Por amor de Dios, vuelve en ti antes de que sea tarde.

La Guindilla mayor acababa de descubrir que había una belleza en el sol escondiéndose tras los montes y en el gemido de una carreta llena de heno, y en el vuelo pausado de los milanos bajo el cielo límpido de agosto, y hasta en el mero y simple hecho de vivir. No podía renunciar a ella ahora que acababa de descubrirla.

—Estoy decidida, hermana. Tú tienes la puerta abierta para marchar cuando lo desees —dijo.

La Guindilla menor rompió a llorar, luego le dio un ataque de nervios, y, por último, se acostó con fiebre. Así estuvo una semana. El domingo había desaparecido la fiebre. La Guindilla mayor entró en la habitación de puntillas y descorrió las cortinas alborozada.

—Vamos, hermana, levántate —dijo—. Don José leerá hoy, en la misa, mi primera amonestación. Hoy debe ser para ti y para mí un día inolvidable.

La Guindilla menor se levantó sin decir nada, se arregló y marchó con su hermana a oír la primera amonestación. De regreso, ya en casa, Lola dijo:

—Anímate, hermana; tú serás mi madrina de boda.

Y, efectivamente, la Guindilla menor hizo de madrina de boda. Todo ello sin rechistar. A los pocos meses de casada, la Guindilla mayor, extrañada de la sumisión y mudez de Irene, mandó llamar a don Ricardo, el médico.

—Esta chica ha sufrido una impresión excesiva. No razona. De todos modos no es peligrosa. Su trastorno no da muestra alguna de violencia —dijo el médico. Luego le recetó unas inyecciones y se marchó.

La Guindilla mayor se puso a llorar acongojada.

Pero a Daniel, el Mochuelo, nada de esto le causó sorpresa. Empezaba a darse cuenta de que la vida es pródiga en hechos que antes de acontecer parecen inverosímiles y luego, cuando sobrevienen, se percata uno de que no tienen nada de inextricables ni de sorprendentes. Son tan naturales como que el sol asome cada mañana, o como la lluvia, o como la noche, o como el viento.

Él siguió la marcha de las relaciones de la Guindilla y Quino, el Manco, por la Uca-uca. Fue un hecho curioso que, tan pronto conoció estas relaciones, sintió que se desvanecía totalmente su vieja aversión por la chiquilla. Y en su lugar brotaba como un vago impulso de compasión.

Una mañana la encontró hurgando entre la maleza, en la ribera del río.

—Ayúdame, Mochuelo. Se ha escondido aquí un malvís que casi no vuela.

Él se afanó por atrapar al pájaro. Al fin lo consiguió, pero el animalito, forcejeando por escapar, se precipitó insensatamente en el río y se ahogó en un instante. Entonces la Mariuca-uca se sentó en la orilla, con los pies sumergidos en la corriente. El Mochuelo se sentó a su lado. A ambos los entristecía la inopinada muerte del pájaro. Luego, la tristeza se disipó.

—¿Es verdad que tu padre se va a casar con la Guindilla? —dijo el Mochuelo.

—Eso dicen.

—¿Quién lo dice?

—Ellos.

—¿Tú qué dices?

—Nada.

—Tu padre, ¿qué dice?

—Que se casa para que yo tenga una madre.

—Ni pintada querría yo una madre como la Guindilla —dijo el Mochuelo.

—El padre dice que ella me lavará la cara y me peinará las trenzas.

Volvió a insistir el Mochuelo:

—Y tú, ¿qué dices?

—Nada.

Daniel, el Mochuelo, presentía la tribulación inexpresada de la pequeña, el valor heroico de su hermetismo, tan dignamente sostenido.

La niña preguntó de pronto:

—¿Es cierto que tú te marchas a la ciudad?

—Dentro de tres meses. He cumplido ya once años. Mi padre quiere que progrese.

—Y tú, ¿qué dices?

—Nada.

Después de hablar se dio cuenta el Mochuelo de que se habían cambiado las tornas; de que era él, ahora, el que no decía nada. Y comprendió que entre él y la Uca-uca surgía de repente un punto común de rara afinidad. Y que no lo pasaba mal charlando con la niña, y que los dos se asemejaban en que tenían que acatar lo que más convenía a sus padres sin que a ellos se les pidiera opinión. Y advirtió también que estando así, charlando de unas cosas y otras, se estaba bien y no se acordaba para nada de la Mica. Y, sobre todo, que la idea de marchar a la ciudad a progresar, volvía a hacérsele ardua e insoportable. Cuando quisiera volver de la ciudad de progresar, la Mica, de seguro, habría perdido el cutis y tendría, a cambio, una docena de chiquillos.

Ahora se encontraba con la Uca-uca con más frecuencia y ya no la rehuía con la hosquedad que lo hacía antes.

—Uca-uca, ¿cuándo es la boda?

—Para julio.

—Y tú, ¿qué dices?

—Nada.

—Y ella, ¿qué dice?

—Que me llevará a la ciudad, cuando sea mi madre, para que me quiten las pecas.

—Y tú, ¿quieres?

Se azoraba la Uca-uca y bajaba los ojos:

—Claro.

El día de la boda, Mariuca-uca no apareció por ninguna parte. Al anochecer, Quino, el Manco, se olvidó de la Guindilla mayor y de todo y dijo que había que buscar a la niña costara lo que costase. Daniel, el Mochuelo, observaba fascinado los preparativos en su derredor. Los hombres con palos, faroles y linternas, con los pies embutidos en gruesas botas claveteadas que producían un ruido chirriante al moverse en la carretera.

Daniel, el Mochuelo, al ver que se pasaba el tiempo sin que los hombres regresaran de las montañas, se fue llenando de ansiedad. Su madre lloraba a su lado y no cesaba de decir: «Pobre criatura.» Por lo visto no era partidaria de dar a la Uca-uca una madre postiza. Cuando Rafaela, la Chancha, la mujer del Cuco, el factor, pasó a la quesería diciendo que era probable que a la niña la hubiera devorado un lobo, Daniel, el Mochuelo, tuvo ganas de gritar con toda su alma. Y fue en ese momento cuando se confesó que si a la Uca-uca le quitaban las pecas, le quitaban la gracia y que él no quería que a la Uca-uca le quitaran las pecas y tampoco que la devorase un lobo. A las dos de la madrugada regresaron los hombres con los palos, las linternas y los faroles y la Mariuca-uca en medio, muy pálida y desgreñada. Todos corrieron a casa de Quino, el Manco, a ver llegar a la niña y a besarla y a estrujarla y a celebrar la aparición. Pero la Guindilla se adelantó a todos y recibió a la Uca-uca con dos sopapos, uno en cada mejilla. Quino, el Manco, contuvo a duras penas una blasfemia, pero llamó la atención a la Guindilla y le dijo que no le gustaba que golpeasen a la niña y doña Lola le contestó irritada que «desde la mañana era ya su madre y tenía el deber de educarla». Entonces Quino, el Manco, se sentó en una banqueta de la tasca y se echó de bruces sobre el brazo que apoyaba en la mesa, como si llorara, o como si acabara de sobrevenirle una gran desgracia.

XIX

Germán, el Tiñoso, levantó un dedo, ladeó un poco la cabeza para facilitar la escucha, y dijo:

—Eso que canta en ese bardal es un rendajo.

El Mochuelo dijo:

—No. Es un jilguero.

Germán, el Tiñoso, le explicó que los rendajos tenían unas condiciones canoras tan particulares, que podían imitar los gorjeos y silbidos de toda clase de pájaros. Y los imitaban para atraerlos y devorarlos luego. Los rendajos eran pájaros muy poco recomendables, tan hipócritas y malvados.

El Mochuelo insistió:

—No. Es un jilguero.

Encontraba un placer en la contradicción aquella mañana. Sabía que había una fuerza en su oposición, aunque ésta fuese infundada. Y hallaba una satisfacción morbosa y oscura en llevar la contraria.

Roque, el Moñigo, se incorporó de un salto y dijo:

—Mirad; un tonto de agua.

Señalaba a la derecha de la Poza, tres metros más allá de donde desaguaba El Chorro. En el pueblo llamaban

243

tontos a las culebras de agua. Ignoraban el motivo, pero ellos no husmeaban jamás en las razones que inspiraban el vocabulario del valle. Lo aceptaban, simplemente, y sabían por eso que aquella culebra que ganaba la orilla a coletazos espasmódicos era un tonto de agua. El tonto llevaba un pececito atravesado en la boca. Los tres se pusieron en pie y apilaron unas piedras.

Germán, el Tiñoso, advirtió:

—No dejarle subir. Los tontos en las cuestas se hacen un aro y ruedan más deprisa que corre una liebre. Y atacan, además.

Roque, el Moñigo, y Daniel, el Mochuelo, miraron atemorizados al animal. Germán, el Tiñoso, saltó de roca en roca para aproximarse con un pedrusco en la mano. Fue una mala pisada o un resbalón en el légamo que recubría las piedras, o un fallo de su pierna coja. El caso es que Germán, el Tiñoso, cayó aparatosamente contra las rocas, recibió un golpe en la cabeza, y de allí se deslizó, como un fardo sin vida, hasta la Poza. El Moñigo y el Mochuelo se arrojaron al agua tras él, sin titubeos. Braceando desesperadamente lograron extraer a la orilla el cuerpo de su amigo. El Tiñoso tenía una herida enorme en la nuca y había perdido el conocimiento. Roque y Daniel estaban aturdidos. El Moñigo se echó al hombro el cuerpo inanimado del Tiñoso y lo subió hasta la carretera. Ya en casa de Quino, la Guindilla le puso unas compresas de alcohol en la cabeza. Al poco tiempo pasó por allí Esteban, el panadero, y lo transportó al pueblo en su tartana.

Rita, la Tonta, prorrumpió en gritos y ayes al ver llegar a su hijo en aquel estado. Fueron unos instantes de confusión. Cinco minutos después, el pueblo en masa se apiñaba a la puerta del zapatero. Apenas dejaban paso a don Ricardo, el médico; tal era su anhelante impaciencia.

Cuando éste salió, todos los ojos le miraban, pendientes de sus palabras:

—Tiene fracturada la base del cráneo. Está muy grave. Pidan una ambulancia a la ciudad —dijo el médico.

De repente, el valle se había tornado gris y opaco a los ojos de Daniel, el Mochuelo. Y la luz del día se hizo pálida y macilenta. Y temblaba en el aire una fuerza aún mayor que la de Paco, el herrero. Pancho, el Sindiós, dijo de aquella fuerza que era el Destino, pero la Guindilla dijo que era la voluntad del Señor. Como no se ponían de acuerdo, Daniel se escabulló y entró en el cuarto del herido. Germán, el Tiñoso, estaba muy blanco y sus labios encerraban una suave y diluida sonrisa.

El Tiñoso sirvió de campo de batalla, durante ocho horas, entre la vida y la muerte. Llegó la ambulancia de la ciudad con Tomás, el hermano del Tiñoso, que estaba empleado en una empresa de autobuses. El hermano entró en la casa como loco y en el pasillo se encontró con Rita, la Tonta, que salía despavorida de la habitación del enfermo. Se abrazaron madre e hijo de una manera casi eléctrica. La exclamación de la Tonta fue como un chispazo fulminante.

—Tomás, llegas tarde. Tu hermano acaba de morir —dijo.

Y a Tomás se le saltaron las lágrimas y juró entre dientes como si se rebelara contra Dios por su impotencia. Y a la puerta de la vivienda las mujeres empezaron a hipar y a llorar a gritos, y Andrés, «el hombre que de perfil no se le ve», salió también de la habitación, todo encorvado, como si quisiera ver las pantorrillas de la enana más enana del mundo. Y Daniel, el Mochuelo, sintió que quería llorar y no se atrevió a hacerlo porque Roque, el Moñigo, vigilaba sus reacciones sin pestañear, con una rigidez despótica. Pero le extrañó advertir que ahora todos querían al Tiñoso. Por los hipos y gemiqueos se diría que Germán, el Tiñoso, era hijo de cada una de las mujeres del pueblo. Mas a Daniel, el Mochuelo, le consoló, en cierta manera, este síntoma de solidaridad.

Mientras amortajaban a su amigo, el Moñigo y el Mochuelo fueron a la fragua.

—El Tiñoso se ha muerto, padre —dijo el Moñigo. Y Paco, el herrero, hubo de sentarse a pesar de lo grande y fuerte que era, porque la impresión lo anonadaba. Dijo, luego, como si luchase contra algo que le enervara:

—Los hombres se hacen; las montañas están hechas ya.

El Moñigo dijo:

—¿Qué quieres decir, padre?

—¡Que bebáis! —dijo Paco, el herrero, casi furioso, y le extendió la bota de vino.

Las montañas tenían un cariz entenebrecido y luctuoso aquella tarde y los prados y las callejas y las casas del pueblo y los pájaros y sus acentos. Entonces, Paco, el herrero, dijo que ellos dos debían encargar una corona fúnebre a la ciudad como homenaje al amigo perdido y fueron a casa de las Lepóridas y la encargaron por teléfono. La Camila estaba llorando también, y aunque la conferencia fue larga no se la quiso cobrar. Luego volvieron a casa de Germán, el Tiñoso. Rita, la Tonta, se abrazó al cuello del Mochuelo y le decía atropelladamente que la perdonase, pero que era como si pudiese abrazar aún a su hijo, porque él era el mejor amigo de su hijo. Y el Mochuelo se puso más triste todavía, pensando que cuatro semanas después él se iría a la ciudad a empezar a progresar y la Rita, que no era tan tonta como decían, habría de quedarse sin el Tiñoso y sin él para enjugar sus pobres afectos truncados. También el zapatero les pasó la mano por los hombros y les dijo que les estaba agradecido porque ellos habían salvado a su hijo en el río, pero que la muerte se empeñó en llevárselo y contra ella, si se ponía terca, no se conocía remedio.

Las mujeres seguían llorando junto al cadáver y, de vez en cuando, alguna tenía algún arranque y besaba y estrujaba el cuerpecito débil y frío del Tiñoso, en tanto sus lágrimas y alaridos se incrementaban.

Los hermanos de Germán anudaron una toalla a su cráneo para que no se le vieran las calvas y Daniel, el Mochuelo, experimento más pena porque, de esta guisa, su amigo parecía un niño moro, un infiel. El Mochuelo esperaba que a don José, el cura, le hiciese el mismo efecto y mandase quitar la toalla. Pero don José llegó, abrazó al zapatero y administró al Tiñoso la Santa Unción sin reparar en la toalla.

Los grandes raramente se percatan del dolor acerbo y sutil de los pequeños. Su mismo padre, el quesero, al verle por primera vez después del accidente, en vez de consolarle, se limitó a decir:

—Daniel, para que veas en lo que acaban todas las diabluras. Lo mismo que le ha ocurrido al hijo del zapatero podría haberte sucedido a ti. Espero que esto te sirva de escarmiento.

Daniel, el Mochuelo, no quiso hablar, pues barruntaba que de hacerlo terminaría llorando. Su padre no quería darse cuenta de que cuando sobrevino el accidente no intentaban diablura alguna, sino, simplemente, matar un tonto de agua. Ni advertía tampoco que lo mismo que él le metió la perdigonada en el carrillo la mañana que mataron el milano con el gran duque, podría habérsela metido en la sien y haberlo mandado al otro barrio. Los mayores atribuían las desgracias a las imprudencias de los niños, olvidando que estas cosas son siempre designios de Dios y que los grandes también cometen, a veces, imprudencias.

Daniel, el Mochuelo, pasó la noche en vela, junto al muerto. Sentía que algo grande se velaba dentro de él y que en adelante nada sería como había sido. Él pensaba que Roque, el Moñigo, y Germán, el Tiñoso, se sentirían muy solos cuando él se fuera a la ciudad a progresar, y ahora resultaba que el qué se sentía solo, espantosamente solo, era él, y sólo él. Algo se marchitó de repente muy dentro de su ser: quizá la fe en la perennidad de la infancia. Advirtió que todos acabarían muriendo, los viejos y los niños. Él nunca se paró a pensarlo y, al hacerlo ahora, una sensación punzante y angustiosa casi le asfixiaba. Vivir de esta manera era algo brillante y, a la vez, terriblemente tétrico y desolado. Vivir era ir muriendo día a día, poquito a poco, inexorablemente. A la larga, todos acabarían muriendo: él, y don José, y su padre, el quesero, y su madre, y las Guindillas, y Quino, y las cinco Lepóridas, y Antonio, el Buche, y la Mica, y la Mariuca-uca, y don Antonino, el marqués, y hasta Paco, el herrero. Todos eran efímeros y transitorios y a la vuelta de cien años no quedaría rastro de ellos sobre las piedras del pueblo. Como ahora no quedaba rastro de los que les habían precedido en una centena de años. Y la mutación se produciría de una manera lenta e imperceptible. Llegarían a desaparecer del mundo todos, absolutamente todos los que ahora poblaban su costra y el mundo no advertiría el cambio. La muerte era lacónica, misteriosa y terrible.

Con el alba, Daniel, el Mochuelo, abandonó la compañía del muerto y se dirigió a su casa a desayunar. No tenía hambre, pero juzgaba una medida prudente llenar el estómago ante las emociones que se avecinaban. El pueblo asumía a aquella hora una quietud demasiado estática, como si todo él se sintiera recorrido y agarrotado por el tremendo frío de la muerte. Y los árboles estaban como acorchados. Y el quiquiriquí de los gallos resultaba fúnebre, como si cantasen con sordina o no se atreviesen a mancillar el ambiente de duelo y recogimiento que pesaba sobre el valle. Y las montañas disimulaban, bajo un cielo plomizo, sus formas colosales. Y hasta en las vacas que pastaban en los prados se acentuaba el aire cansino y soñoliento que en ellas era habitual.

Daniel, el Mochuelo, apenas desayunó regresó al pueblo. Al pasar frente a la tapia del boticario divisó un tordo picoteando un cerezo silvestre junto a la carretera. Se reavivó en él el sentimiento del Tiñoso, el amigo perdido para siempre. Buscó el tirachinas en el bolsillo y colocó una piedra en la badana. Luego apuntó al animal cuidadosamente y estiró las gomas con fuerza. La piedra, al golpear el pecho del tordo, produjo un ruido seco de huesos quebrantados. El Mochuelo corrió hacia el animal abatido y las manos le temblaban al recogerlo. Después reanudó el camino con el tordo en el bolsillo.

Germán, el Tiñoso, ya estaba dentro de la caja cuando llegó. Era una caja blanca, barnizada, que el zapatero había encargado a una funeraria de la ciudad. También había llegado la corona encargada por ellos con la leyenda que dispuso el Moñigo: «Tiñoso, tus amigos Mochuelo y Moñigo no te olvidarán jamás.» Rita, la Tonta, volvió a abrazarle con énfasis, diciéndole, en voz baja, que era muy bueno. Pero Tomás, el hermano colocado en una empresa de autobuses, se enfadó al ver la leyenda y cortó el trozo donde decía «Tiñoso», dejando sólo «tus amigos Mochuelo y Moñigo no te olvidarán jamás».

Mientras Tomás cortaba la cinta y los demás le contemplaban, Daniel, el Mochuelo, depositó con disimulo el tordo en el féretro, junto al cadáver de su amigo. Había pensado que su amigo, que era tan aficionado a los pájaros, le agradecería, sin duda, desde el otro mundo, este detalle. Mas Tomás, al volver a colocar la corona fúnebre a los pies del cadáver, reparó en el pájaro incomprensiblemente muerto junto a su hermano. Acercó mucho los ojos para cerciorarse de que era un tordo lo que veía, pero después de comprobarlo no se atrevió a tocarlo. Tomás se sintió recorrido por una corriente supersticiosa.

—¿Qué... quién... cómo demonios está aquí esto? —dijo.

Daniel, el Mochuelo, después del enfado de Tomás por lo de la corona, no se atrevió a declarar su parte de culpa en esta nueva peripecia. El asombro de Tomás se contagió pronto a todos los presentes que se acercaban a contemplar el pájaro. Ninguno, empero, osaba tocarlo.

—¿Cómo hay un tordo ahí dentro?

Rita, la Tonta, buscaba una explicación razonable en el rostro de cada uno de sus vecinos. Pero en todos leía un idéntico estupor.

—Mochuelo, ¿sabes tú...?

—Yo no sé nada. No había visto el tordo hasta que lo dijo Tomás.

Andrés, «el hombre que de perfil no se le ve», entró en aquel momento. Al ver el pájaro se le ablandaron los ojos y comenzó a llorar silenciosamente.

—Él quería mucho a los pájaros; los pájaros han venido a morir con él —dijo.

El llanto se contagió a todos y a la sorpresa inicial sucedió pronto la creencia general en una intervención ultraterrena. Fue Andrés, «el hombre que de perfil no se le ve», quien primero lo insinuó con voz temblorosa:

—Esto... es un milagro.

Los presentes no deseaban otra cosa sino que alguien expresase en alta voz su pensamiento para estallar. Al oír la sugerencia del zapatero se oyó un grito unánime y desgarrado, mezclado con ayes y sollozos:

—¡Un milagro!

Varias mujeres, amedrentadas, salieron corriendo en busca de don José. Otras fueron a avisar a sus maridos y familiares para que fueran testigos del prodigio. Se organizó un revuelo caótico e irrefrenable.

Daniel, el Mochuelo, tragaba saliva incesantemente en un rincón de la estancia. Aun después de muerto el Tiñoso, los entes perversos que flotaban en el aire seguían enredándole los más inocentes y bien intencionados asuntos. El Mochuelo pensó que tal como se habían puesto las cosas, lo mejor era callar. De otro modo, Tomás, en su excitación, sería muy capaz de matarlo.

Entró apresuradamente don José, el cura.

—Mire, mire, don José —dijo el zapatero.

Don José se acercó con recelo al borde del féretro y vio el tordo junto a la yerta mano del Tiñoso.

—¿Es un milagro o no es un milagro? —dijo la Rita, toda exaltada, al ver la cara de estupefacción del sacerdote.

Se oyó un prolongado murmullo en torno. Don José movió la cabeza de un lado a otro mientras observaba los rostros que le rodeaban.

Su mirada se detuvo un instante en la carita asustada del Mochuelo. Luego dijo:

—Sí que es raro todo esto. ¿Nadie ha puesto ahí ese pájaro?

—¡Nadie, nadie! —gritaron todos.

Daniel, el Mochuelo, bajó los ojos. La Rita volvió a gritar, entre carcajadas histéricas, mientras miraba con ojos desafiadores a don José:

—¡Qué! ¿Es un milagro o no es un milagro, señor cura?

Don José intentó apaciguar los ánimos, cada vez más excitados.

—Yo no puedo pronunciarme ante una cosa así. En

realidad es muy posible, hijos míos, que alguien, por broma o con buena intención, haya depositado el tordo en el ataúd y no se atreva a declararlo ahora por temor a vuestras iras. —Volvió a mirar insistentemente a Daniel, el Mochuelo, con sus ojillos hirientes como puntas de alfileres. El Mochuelo, asustado, dio media vuelta y escapó a la calle. El cura prosiguió—: De todas formas yo daré traslado al Ordinario de lo que aquí ha sucedido. Pero os repito que no os hagáis ilusiones. En realidad, hay muchos hechos de apariencia milagrosa que no tienen de milagro más que eso: la apariencia. —De repente cortó, seco—: A las cinco volveré para el entierro.

En la puerta de la calle, don José, el cura, que era un gran santo, se tropezó con Daniel, el Mochuelo, que le observaba a hurtadillas, tímidamente. El párroco oteó las proximidades y, como no viera a nadie en derredor, sonrió al niño, le propinó unos golpecitos paternales en el cogote, y le dijo en un susurro:

—Buena la has hecho, hijo; buena la has hecho.

Luego le dio a besar su mano y se alejó, apoyándose en la cachaba, a pasitos muy lentos.

XX

Es expresivo y cambiante el lenguaje de las campanas; su vibración es capaz de ácentos hondos y graves y livianos y agudos y sombríos. Nunca las campanas dicen lo mismo. Y nunca lo que dicen lo dicen de la misma manera.

Daniel, el Mochuelo, acostumbraba a dar forma a su corazón por el tañido de las campanas. Sabía que el repique del día de la Patrona sonaba a cohetes y a júbilo y a estupor desproporcionado e irreflexivo. El corazón se le redondeaba, entonces, a impulsos de un sentimiento de alegría completo y armónico. Al concluir los bombardeos, durante la guerra, las campanas también repicaban alegres, mas con un deje de reserva, precavido y reticente. Había que tener cuidado. Otras veces, los tañidos eran sordos, opacos, oscuros y huecos como el día que enterraron a Germán, el Tiñoso, por ejemplo. Todo el valle, entonces, se llenaba hasta impregnarse de los tañidos sordos, opacos, oscuros y huecos de las campanas parroquiales. Y el frío de sus vibraciones pasaba a los estratos de la tierra y a las raíces de las plantas y a la médula de los huesos de los hombres y al corazón de los niños. Y el corazón de Daniel, el Mochuelo, se tornaba mollar y maleable —blando como el plomo derretido— bajo el solemne tañir de las campanas.

Estaba lloviznando y tras don José, revestido de sobrepelliz y estola, caminaban los cuatro hijos mayores del zapatero, el féretro en hombros, con Germán, el Tiñoso, y el tordo dentro. A continuación marchaba el zapatero con el resto de sus familiares y, detrás, casi todos los hombres y las mujeres y los niños del pueblo con rostros compungidos, notando en sus vísceras las resonancias de las campanas, vibrando en una modulación lenta y cadenciosa. Daniel, el Mochuelo, sentía aquel día las campanas de una manera especial. Se le antojaba que él era como uno de los insectos que coleccionaba en una caja el cura de La Cullera. Se diría que, lo mismo que aquellos animalitos, cada campanada era como una aguja afiladísima que le atravesaba una zona vital de su ser. Pensaba en Germán, el Tiñoso, y pensaba en él mismo, en los nuevos rumbos que a su vida imprimían las circunstancias. Le dolía que los hechos pasasen con esta facilidad a ser recuerdos; notar la sensación de que nada, nada de lo pasado, podría reproducirse. Era aquélla una sensación angustiosa de dependencia. Le ponía nervioso la imposibilidad de dar marcha atrás en el reloj del tiempo y resignarse a saber que nadie volvería a hablarle, con la precisión y el conocimiento con que el Tiñoso lo hacía, de los rendajos y las perdices y los martines pescadores y las pollas de agua. Había de avenirse a no volver a oír jamás la voz de Germán, el Tiñoso; a admitir como un suceso vulgar y cotidiano que los huesos del Tiñoso se transformasen en cenizas junto a los huesos de un tordo; que los gusanos agujereasen ambos cuerpos simultáneamente, sin predilecciones ni postergaciones.

Se confortó un poco tanteando en su bolsillo un cuproníquel con el agujerito en medio. Cuando concluyese el entierro iría a la tienda de Antonio, el Buche, a comprarse un adoquín. Claro que a lo mejor no estaba bien visto que se endulzase así después de enterrar a un buen amigo. Habría de esperar al día siguiente.

Descendían ya la varga por su lado norte, hacia el pequeño camposanto del lugar. Bajo la iglesia, los tañidos de las campanas adquirían una penetración muy viva y dolorosa. Doblaron el recodo de la parroquia y entraron en el minúsculo cementerio. La puerta de hierro chirrió soñolienta y enojada. Apenas cabían todos en el pequeño recinto. A Daniel, el Mochuelo, se le aceleró el corazón al ver la pequeña fosa, abierta a sus pies. En la frontera este del camposanto, lindando con la tapia, se erguían, adustos y fantasmales, dos afilados cipreses. Por lo demás, el cementerio del pueblo era tibio y acogedor. No había mármoles, ni estatuas, ni panteones, ni nichos, ni tumbas revestidas de piedra. Los muertos eran tierra y volvían a la tierra, se confundían con ella en un impulso directo, casi vicioso, de ayuntamiento. En derredor de las múltiples cruces, crecían y se desarrollaban los helechos, las ortigas, los acebos, la hierbabuena y todo género de hierbas silvestres. Era un consuelo, al fin, descansar allí, envuelto día y noche en los aromas penetrantes del campo.

El cielo estaba pesado y sombrío. Seguía lloviznando. Y el grupo, bajo los paraguas, era una estampa enlutada de estremecedor y angustioso simbolismo. Daniel, el Mochuelo, sintió frío cuando don José, el cura, que era un gran santo, comenzó a rezar responsos sobre el féretro depositado a los pies de la fosa recién cavada. Había, en torno, un silencio abierto sobre cien sollozos reprimidos, sobre mil lágrimas truncadas, y fue entonces cuando Daniel, el Mochuelo, se volvió, al notar sobre el calor de su mano el calor de una mano amiga. Era la Uca-uca. Tenía la niña un grave gesto adosado a sus facciones pueriles, un ademán desolado de impotencia y resignación. Pensó el Mochuelo que le hubiera gustado estar allí solo con el féretro y la Uca-uca y poder llorar a raudales sobre las trenzas doradas de la chiquilla; sintiendo en su mano el calor de otra mano amiga. Ahora, al ver el féretro a sus pies, lamentó haber discutido con el Tiñoso sobre el ruido que las perdices hacían al volar, sobre las condiciones canoras de los rendajos o sobre el sabor de las cicatrices. Él se hallaba indefenso, ahora, y Daniel, el Mochuelo, desde el fondo de su alma, le daba, incondicionalmente, la razón. Vibraba con unos acentos lúgubres la voz de don José, esta tarde, bajo la lluvia, mientras rezaba los responsos:

—*Kyrie, eleison. Christie, eleison. Kyrie, eleison. Pater noster qui es in coelis...*

A partir de aquí, la voz del párroco se hacía un rumor ininteligible. Daniel, el Mochuelo, experimentó unas ganas enormes de llorar al contemplar la actitud entregada del zapatero. Viéndolo en este instante no se dudaba de que jamás Andrés, «el hombre que de perfil no se le ve», volvería a mirar las pantorrillas de una mujer. De repente, era un anciano tembloteante y extenuado, sexualmente indiferente. Cuando don José acabó el tercer responso, Trino, el sacristán, extendió una arpillera al lado del féretro y Andrés arrojó en ella una peseta. La voz de don José se elevó de nuevo:

—*Kyrie, eleison. Christie, eleison. Kyrie, eleison. Pater noster qui es in coelis...*

Luego fue el Peón quien echó unas monedas sobre la arpillera, y don José, el cura, que era un gran santo, rezó otro responso. Después se acercó Paco, el herrero, y depositó veinte céntimos. Y más tarde, Quino, el Manco, arrojó otra pequeña cantidad. Y luego Cuco, el factor, y Pascualón, el del molino, y don Ramón, el alcalde, y Antonio, el Buche, y Lucas, el Mutilado, y las cinco Lepóridas, y el ama de don Antonino, el marqués, y Chano y todos y cada uno de los hombres y las mujeres del pueblo, y la arpillera iba llenándose de monedas livianas, de poco valor, y, a cada dádiva, don José, el cura, que era un gran santo, contestaba con un responso, como si diera las gracias.

—*Kyrie, eleison. Christie, eleison. Kyrie, eleison. Pater noster qui es in coelis...*

Daniel, el Mochuelo, aferraba crispadamente su cuproníquel, con la mano embutida en el bolsillo del pantalón. Sin querer, pensaba en el adoquín de limón que se comería al día siguiente, pero, inmediatamente, relacionaba el sabor de su presunta golosina con el letargo definitivo del Tiñoso y se decía que no tenía ningún derecho a disfrutar de un adoquín de limón mientras su amigo se pudría en un agujero. Extraía ya lentamente el cuproníquel, decidido a depositarlo en la arpillera, cuando una voz interior le contuvo: «¿Cuánto tiempo tardarás en tener otro cuproníquel, Mochuelo?» Lo soltó compelido por un sórdido instinto de avaricia. De improviso rememoró la conversación con el Tiñoso sobre el ruido que hacían las perdices al volar y su pena se agigantó de nuevo. Ya Trino se inclinaba sobre la arpillera y la agarraba por las cuatro puntas para recogerla, cuando Daniel, el Mochuelo, se desembarazó de la mano de la Uca-uca y se adelantó hasta el féretro:

—¡Espere! —dijo.

Todos los ojos le miraban. Notó Daniel, el Mochuelo, en sí, las miradas de los demás, con la misma sensación física que percibía las gotas de la lluvia. Pero no le importó. Casi sintió un orgullo tan grande como la tarde que trepó a lo alto de la cucaña al sacar de su bolsillo la moneda reluciente, con el agujerito en medio, y arrojarla sobre la arpillera. Siguió el itinerario de la moneda con los ojos, la vio rodar un trecho y, luego, amontonarse con las demás produciendo, al juntarse, un alegre tintineo. Con la voz apagada de don José, el cura, que era un gran santo, le llegó la sonrisa presentida del Tiñoso, desde lo hondo de su caja blanca y barnizada.

—*Kyrie, eleison. Christie, eleison. Kyrie, eleison. Pater noster qui es in coelis...*

Al concluir don José, bajaron la caja a la tumba y echaron mucha tierra encima. Después, la gente fue saliendo lentamente del camposanto. Anochecía y la lluvia se intensificaba. Se oía el arrastrar de los zuecos de la gente que regresaba al pueblo. Cuando Daniel, el Mochuelo, se vio solo, se aproximó a la tumba y luego de persignarse dijo:

—Tiñoso, tenías razón, las perdices al volar hacen «Brrrr» y no «Prrrr».

Ya se alejaba cuando una nueva idea le impulsó a regresar sobre sus pasos. Volvió a persignarse y dijo:

—Y perdona lo del tordo.

La Uca-uca le esperaba a la puerta del cementerio. Le cogió de la mano sin decirle una palabra. Daniel, el Mochuelo, notó que le ganaba de nuevo un amplio e inmoderado deseo de sollozar. Se contuvo, empero, porque diez pasos delante avanzaba el Moñigo, y de cuando en cuando volvía la cabeza para indagar si él lloraba.

XXI

En torno a Daniel, el Mochuelo, se hacía la luz de un modo imperceptible. Se borraban las estrellas del cuadrado de cielo delimitado por el marco de la ventana y sobre el fondo blanquecino del firmamento la cumbre del Pico Rando comenzaba a verdear. Al mismo tiempo, los mirlos, los ruiseñores, los verderones y los rendajos iniciaban sus melodiosos conciertos matutinos entre la maleza. Las cosas adquirían precisión en derredor; definían, paulatinamente, sus volúmenes, sus tonalidades y sus contrastes. El valle despertaba al nuevo día con una fruición aromática y vegetal. Los olores se intensificaban, cobraban densidad y consistencia en la atmósfera circundante, reposada y queda.

Entonces se dio cuenta Daniel, el Mochuelo, de que no había pegado un ojo en toda la noche. De que la pequeña y próxima historia del valle se reconstruía en su mente con un sorprendente lujo de pormenores. Lanzó su mirada a través de la ventana y la posó en la bravía y aguda cresta del Pico Rando. Sintió entonces que la vitalidad del valle le penetraba desordenada e íntegra y que él entregaba la suya al valle en un vehemente deseo de fusión, de compenetración íntima y total. Se daban uno al otro en un enfervorizado anhelo de mutua protección, y Daniel, el Mochuelo, comprendía que dos cosas no deben separarse nunca cuando han logrado hacerse la una al modo y medida de la otra.

No obstante, el convencimiento de una inmediata separación le desasosegaba, aliviando la fatiga de sus párpados. Dentro de dos horas, quizá menos, él diría adiós al valle, se subiría en un tren y escaparía a la ciudad lejana para empezar a progresar. Y sentía que su marcha hubiera de hacerse ahora, precisamente ahora que el valle se endulzaba con la suave melancolía del otoño y que a Cuco, el factor, acababan de uniformarle con una espléndida gorra roja. Los grandes cambios rara vez resultan oportunos y consecuentes con nuestro particular estado de ánimo.

A Daniel, el Mochuelo, le dolía esta despedida como nunca sospechara. Él no tenía la culpa de ser un sentimental. Ni de que el valle estuviera ligado a él de aquella manera absorbente y dolorosa. No le interesaba el progreso. El progreso, en verdad, no le importaba un ardite. Y, en cambio, le importaban los trenes diminutos en la distancia y los caseríos blancos y los prados y los maizales parcelados; y la Poza del Inglés, y la gruesa y enloquecida corriente del Chorro; y el corro de bolos; y los tañidos de las campanas parroquiales; y el gato de la Guindilla; y el agrio olor de las encellas sucias; y la formación pausada y solemne y plástica de una boñiga; y el rincón melancólico y salvaje donde su amigo Germán, el Tiñoso, dormía el sueño eterno; y el chillido reiterado y monótono de los sapos bajo las piedras en las noches húmedas; y las pecas de la Uca-uca y los movimientos lentos de su madre en los quehaceres domésticos; y la entrega confiada y dócil de los pececillos del río; y tantas y tantas otras cosas del valle. Sin embargo, todo había de dejarlo por el progreso. Él no tenía aún autonomía ni capacidad de decisión. El poder de decisión le llega al hombre cuando ya no le hace falta para nada; cuando ni un solo día puede dejar de guiar un carro o picar piedra si no quiere quedarse sin comer. ¿Para qué valía, entonces, la capacidad de decisión de un hombre, si puede saberse? La vida era el peor tirano conocido. Cuando la vida le agarra a uno, sobra todo poder de decisión. En cambio, él todavía estaba en condiciones de decidir, pero como solamente tenía once años, era su padre quien decidía por él. ¿Por qué, Señor, por qué el mundo se organizaba tan rematadamente mal?

El quesero, a pesar del estado de ánimo de Daniel, el Mochuelo, se sentía orgulloso de su decisión y de poder llevarla a cabo. Lo que no podían otros. La víspera habían recorrido juntos el pueblo, padre e hijo, para despedirse.

—El chico se va mañana a la ciudad. Tiene ya once años y es hora de que empiece el grado.

Y el quesero se quedaba plantado, mirándole a él, como diciendo: «¿Qué dice el estudiante?» Pero él miraba al suelo entristecido. No había nada que decir. Bastaba con obedecer.

Pero en el pueblo todos se mostraban muy cordiales y afectuosos, algunos en exceso, como si les aligerase no poco el saber que al cabo de unas horas iban a perder de vista a Daniel, el Mochuelo, para mucho tiempo. Casi todos le daban palmaditas en el cogote y expresaban, sin rebozo, sus esperanzas y buenos deseos:

—A ver si vuelves hecho un hombre.

—¡Bien, muchacho! Tú llegarás a ministro. Entonces daremos tu nombre a una calle del pueblo. O a la Plaza. Y tú vendrás a descubrir la lápida y luego comeremos todos juntos en el ayuntamiento. ¡Buena borrachera ese día!

Y Paco, el herrero, le guiñaba un ojo y su pelo encarnado despedía un vivo centelleo.

La Guindilla mayor fue una de las que más se alegraron con la noticia de la marcha de Daniel, el Mochuelo.

—Bien te viene que te metan un poco en cintura, hijo. La verdad. Ya sabes que yo no tengo pelos en la lengua. A ver si en la ciudad te enseñan a respetar a los animales y a no pasear en cueros por las calles del pueblo. Y a cantar el *Pastora Divina* como Dios manda. —Hizo una pausa y llamó—: ¡Quino! Daniel se va a la ciudad y viene a despedirse.

Y bajó Quino. Y a Daniel, el Mochuelo, al ver de cerca el muñón, se le revivían cosas pasadas y experimentaba una angustiosa y sofocante presión en el pecho. Y a Quino, el Manco, también le daba tristeza perder aquel amigo y para disimular su pena se golpeaba la barbilla con el muñón reiteradamente y sonreía sin cesar:

—Bueno, chico... ¡Quién pudiera hacer otro tanto...! Nada... lo dicho. —En su turbación Quino, el Manco, no advertía que no había dicho nada—. Que sea para tu bien.

Y después, Pancho, el Sindiós, se irritó con el quesero porque mandaba a su hijo a un colegio de frailes. El quesero no le dio pie para desahogarse:

—Traigo al chico para que te diga adiós a ti y a los tuyos. No vengo a discutir contigo sobre si debe estudiar con un cura o con un seglar.

Y Pancho se rió y soltó una palabrota y le dijo a Daniel que a ver si estudiaba para médico y venía al pueblo a sustituir a don Ricardo, que ya estaba muy torpe y achacoso. Luego le dijo al quesero, dándole un golpe en el hombro:

—Chico, cómo pasa el tiempo.

Y el quesero dijo:

—No somos nadie.

Y también el Peón estuvo muy simpático con ellos y le dijo a su padre que Daniel tenía un gran porvenir en los libros si se decidía a estudiar con ahínco. Añadió que se fijasen en él. También salió de la nada. Él no era nadie y a fuerza de puños y de cerebro había hecho una carrera y había triunfado. Y tan orgulloso se sentía de sí mismo, que empezó a torcer la boca de una manera espasmódica, y cuando ya se mordía casi la negra patilla se despidieron de él y lo dejaron a solas con sus muecas, su orgullo íntimo y sus frenéticos aspavientos.

Don José, el cura, que era un gran santo, le dio buenos consejos y le deseó los mayores éxitos. A la legua se advertía que don José tenía pena por perderle. Y Daniel, el Mochuelo, recordó su sermón del día de la Virgen. Don José, el cura, dijo entonces que cada cual tenía un camino marcado en la vida y que se podía renegar de él por ambición o sensualidad, de forma que un mendigo podía ser más rico que un millonario en su palacio, cargado de mármoles y criados.

Al recordar esto, Daniel, el Mochuelo, pensó que él renunciaba a su camino por la ambición de su padre. Y contuvo un estremecimiento. Le anegó la tristeza al pensar que a lo mejor, a su vuelta, don José ya no estaría en el confesonario ni podría llamarle «gitanón», sino desde una hornacina de la parroquia, convertido en un santo de corona y peana. Pero, en ese caso, su cuerpo corrupto se pudriría junto al de Germán, el Tiñoso, en el pequeño cementerio de los dos cipreses rayanos a la iglesia. Y miró a don José con insistencia, agobiado por la sensación de que no volvería a verle hablar, accionar, enfilar sus ojillos pitañosos y agudos.

Y, al pasar por la finca del Indiano, quiso ponerse triste al pensar en la Mica, que iba a casarse uno de aquellos días, en la ciudad. Pero no sintió pesadumbre por no poder ver a la Mica, sino por la necesidad de abandonar el valle sin que la Mica le viese y le compadeciese y pensase que era desgraciado.

El Moñigo no había querido despedirse porque Roque bajaría a la estación a la mañana siguiente. Le abrazaría en último extremo y vigilaría si sabía ser hombre hasta el fin. Con frecuencia le había advertido el Moñigo:

—Al marcharte no debes llorar. Un hombre no debe llorar aunque se le muera su padre entre horribles dolores.

Daniel, el Mochuelo, recordaba con nostalgia su última noche en el valle. Dio media vuelta en la cama y de nuevo atisbó la cresta del Pico Rando iluminada por los primeros rayos del sol. Se le estremecieron las aletillas de la nariz al percibir una vaharada intensa a hierba húmeda y a boñiga. De repente, se sobresaltó. Aún no se sentía movimiento en el valle y, sin embargo, acababa de oír una voz humana. Escuchó. La voz le llegó de nuevo, intencionadamente amortiguada:

—¡Mochuelo!

Se arrojó de la cama, exaltado, y se asomó a la carretera. Allí abajo, sobre el asfalto, con una cantarilla vacía en la mano, estaba la Uca-uca. Le brillaban los ojos de una manera extraña.

—Mochuelo, ¿sabes? Voy a La Cullera a por la leche. No te podré decir adiós en la estación.

Daniel, el Mochuelo, al escuchar la voz grave y dulce de la niña, notó que algo muy íntimo se le desgarraba dentro del pecho. La niña hacía pendulear la cacharra de la leche sin cesar de mirarle. Sus trenzas brillaban al sol.

—Adiós, Uca-uca —dijo el Mochuelo. Y su voz tenía unos trémolos inusitados.

—Mochuelo, ¿te acordarás de mí?

Daniel apoyó los codos en el alféizar y se sujetó la cabeza con las manos. Le daba mucha vergüenza decir aquello, pero era ésta su última oportunidad.

—Uca-uca... —dijo, al fin—. No dejes a la Guindilla que te quite las pecas, ¿me oyes? ¡No quiero que te las quite!

Y se retiró de la ventana violentamente, porque sabía que iba a llorar y no quería que la Uca-uca le viese. Y cuando empezó a vestirse le invadió una sensación muy vívida y clara de que tomaba un camino distinto del que el Señor le había marcado. Y lloró, al fin.

Impreso en Black Print CPI Ibérica, S. L.
c/ Torrebovera, s/n (esquina c/ Sevilla), nave 1
08740 Sant Andreu de la Barca (Barcelona)

Daniel el Mochuelo intuye a sus once años que
su camino está en la aldea, junto a sus amigos,
sus gentes y sus pájaros. Pero su padre quiere
que vaya a la ciudad a estudiar el Bachillerato.
A lo largo de la noche que precede a la partida,
Daniel, insomne, con un nudo en la garganta,
evocará sus correrías con sus amigos —Roque
el Moñigo y Germán el Tiñoso— a través de los
campos descubriendo el cielo y la tierra, y revivirá
las andanzas de la gente sencilla de la aldea.
La simpatía humana con que esa mirada infantil
nos introduce en el pueblo, haciéndonos conocer
toda una impresionante galería de tipos y la
fuerza con que a través de rasgos frecuentemente
caricaturescos se nos presentan siempre netos
y vivos es uno de los mayores aciertos de esta
novela. Feliz evocación de un tiempo cuyo
encanto y fascinación advertimos cuando ya se
nos ha escapado entre los dedos, *El camino* es,
por su amalgama de nitidez realista, humor sutil,
nostalgia contenida e irisación poética no sólo
una de las mejores novelas de Miguel Delibes,
sino también, como señala la crítica, «una de las
obras maestras de la narrativa contemporánea».

«La palabra justa, el adjetivo exacto convierten
la novela en memoria sensorial, plástica y hacen
de ella un texto extraordinariamente
convincente y auténtico.»
De la introducción de Marisa Sotelo

Narrativa

DESTINO

AUSTRAL

Recursos pedagógicos en
www.planetalector.com

www.australeditorial.com

P.V.P. **C**   490016

9 788423 342303